D0539846

# LE DIABLE
# ET LE BOITEUX

DU MÊME AUTEUR

chez le même éditeur

*Baby Blues,* 1988
*Le Zoo du pendu,* 1990
*Toine, Mémoires d'un enfant laid,* 1991
*Le Baptême du Boiteux,* 1994
*La Passion du Sâr,* 1995
*Le Bûcher du Boiteux,* 1996

PASCAL
BASSET-CHERCOT

# LE DIABLE ET LE BOITEUX

*roman*

CALMANN-LÉVY

ISBN 2-7021-2884-X

DE L'AUTRE CÔTÉ de la Bièvre, une buse plane au-dessus des maïs encore verts. Le rapace profite des courants. Il trace dans le ciel des figures paresseuses, cherchant au soleil de trois heures des rongeurs en fin de sieste. Sur cette rive, une brise légère agite les peupliers. Leur bruissement s'ajoute aux clapotis de l'eau et sert de basse aux trilles des merles. Il fait bon, presque chaud.

— Elle est morte ici, ma mère ?

Benoît me tient la main. Le garçonnet fixe la rivière, les yeux écarquillés derrière ses lunettes. Ses épis de cheveux bruns prennent joliment le vent et ses taches de rousseur ressortent sur sa peau claire. À part ça, il est maigre, bien trop maigre pour son survêtement rouge et ses dix ans.

— On l'a retrouvée ici, Benoît, dans la rivière. Mais peut-être qu'elle était morte avant.

— Il l'avait attachée ?

Sa voix chevrote un peu. J'acquiesce en silence, regrettant d'avoir accepté de l'accompagner ici. Une bêtise. Benoît n'a ni l'âge, ni la santé pour ce genre d'excursion.

Il murmure :

— Il... il l'a jetée dans l'eau... comme un sac ?

— Je vais te ramener à l'hôpital. Il faut que tu te reposes, maintenant...

Le gosse secoue la tête, la mine butée.

— Non, je veux encore rester. Je veux aller sur le ponton.

— Cinq minutes, alors.

On s'avance sur les planches épaisses. Le bois craque un peu puis se cale sous notre poids. À nos pieds, la Bièvre s'écoule lentement, charriant une eau verte et boueuse, couchant dans le courant de longues algues brunes.

— On voit rien. C'est profond ?

— Cela dépend des endroits, Benoît. Là, un peu. Plus loin, près des saules, pas du tout.

— Et il y a des poissons ?

Il se penche mais je ne lui lâche pas la main.

— Des petits, je crois.

Le corps affreusement mutilé de Marie-Claire Larget me revient en mémoire, l'oreille manquante, le nez mangé, les doigts sans phalanges. Oui, pour avoir des poissons, la Bièvre a des poissons : des silures monstrueux, des brochets à dents de requins, des carpes suçoteuses. À ne pas tremper une main.

— J'en vois un...

Je ne regarde pas. J'observe *La Vigie* sur son haut de colline. L'énorme maison nous domine de ses toitures pointues, exhibant au soleil sa façade lézardée et ses volets branlants. Une fenêtre du rez-de-chaussée a été murée, d'autres condamnées par des tasseaux en croix. Le soleil ne change rien. La bâtisse abandonnée jette sur l'endroit une ombre sinistre que développent avec elle des cyprès centenaires, des terrasses en ruines, la tonnelle effondrée.

— C'est quoi, là-bas ? Des Chinois ?

Benoît montre de son index la maison voisine, une construction plus petite, aux toits courbes, aux tuiles vertes et à la façade de bois coupée d'un étroit balcon sculpté.

— Une pagode.

— Ah ! Et qu'est-ce qu'ils font ?

J'élude :

— Une sorte de salon de thé... Allez, viens, on rentre. S'ils apprennent que tu es sorti, ça va barder à l'hôpital.

— Je dirai que j'étais à la cafétéria.

— Ils vérifieront peut-être.

J'entraîne le gamin sur la terre ferme. Puis, de là, je reprends en boitant le petit escalier qui mène à la terrasse. Benoît marche lentement, les mâchoires crispées, sa main cramponnée à la mienne.

— Ma mère, elle a été noyée, alors ?

Je ne lui réponds pas. Je le soulève de terre et je le prends dans mes bras.

Il insiste :

— Il lui a fait mal ? Très mal ?

— Tais-toi, Benoît.

Dans le ciel, la buse vient de plonger derrière les peupliers. Sans un cri. À la vitesse d'une pierre lâchée d'un sommet et qui vise une nuque.

— JE N'AI PAS TUÉ cette femme, inspecteur. Désolé pour vous mais tout le monde peut se tromper.

Jérôme Cauchart n'a pas entièrement tort. Dans mon cas, le problème n'est pas tant de le reconnaître que d'en être sûr. Il y a les faits et il y a l'instinct. Les premiers me disent que cet homme est un assassin, le second me souffle que dans le genre erreur judiciaire, il va devenir une référence. Les faits, l'instinct, et pour ne rien simplifier, mes sentiments. Eux, au moins, ont le mérite d'être clairs : Jérôme Cauchart m'est parfaitement antipathique.

— Vous ne comprenez rien, reprend le promoteur; je ne connais pas cette Marie-Claire Larget. Je n'ai jamais tué cette bonne femme des Impôts. D'ailleurs, je n'ai jamais tué personne.

— J'ai de bonnes raisons pour penser le contraire.

Jérôme Cauchart s'appuie avec lassitude au dossier de sa chaise. Le siège grince, maltraité par son poids. À cinquante ans, le promoteur affiche une centaine de kilos pour le double de centimètres. Ses cheveux, d'un blond presque blanc, sont coupés en brosse et renforcent la dureté de ses traits. Le buste a des lourdeurs moins nettes, la ceinture abdominale un relâchement de sumo. Côté habillement, un blouson chiffonne son polo et un pantalon de toile écru moule ses énormes cuisses.

— Toute cette histoire repose sur le témoignage de cette petite putain, reprend-il d'un ton dégoûté ; une chinetoque aussi conne qu'une tortue sur le dos. Aucun juge ne vous suivra.

Je rectifie d'une voix doucereuse :

— Je crois que vous faites erreur, M. Cauchart : avec ce dossier, vous irez directement du bureau du juge à la prison de Fougères. Vous aurez, là-bas, tout le loisir de réfléchir à la valeur du témoignage de Mlle Sue Hitobé.

Le promoteur perd brusquement patience. Il bondit sur ses pieds et se penche sur mon bureau.

— Mais nom de Dieu ! Quoi ! Parce que cette petite garce dit m'avoir vu dans le jardin de *La Vigie*, je serais le type qui a balancé à la rivière cette Larget ! Vous vous foutez du monde ! Il faut quand même d'autres preuves pour envoyer quelqu'un derrière les barreaux !

Il conclut d'un coup de poing sur la table. Une pile de dossiers s'écroule et mon petit calendrier passe dans la même seconde au mercredi 13 décembre.

Je remets calmement la date du jour : samedi 25 avril. Puis je redresse un peu mes chemises éparpillées. Mon bureau n'est pas un modèle d'ordre mais tout de même : j'aime que mes tas soient bien faits.

— Granier, tu porteras au procès-verbal le geste de M. Cauchart.

Dans son coin, mon adjoint opine de son crâne rasé. Il n'est pas très intéressé, mais il fait un effort : la machine à écrire crépite, couvrant en partie le grognement du promoteur.

— Vous voulez ajouter quelque chose, M. Cauchart ?

Celui-ci se contrôle avec peine. Il se rassoit, le visage congestionné.

— Ne vous foutez pas de ma gueule. Je n'ai plus l'âge pour me laisser emmerder par des blancs-becs de votre espèce.

— « Blanc-bec », Granier.

Jérôme Cauchart pousse un gémissement. Ses larges mains claquent sur ses cuisses et ses yeux gris prennent une expression exaspérée. Il réussit néanmoins à garder le silence.

Je me penche sur le dossier étalé devant moi.

— Nous allons reprendre les choses par le début, M. Cauchart. Je crois que cela vaudra mieux. Vous verrez ainsi où vous en êtes et vous comprendrez peut être la situation dans laquelle vous vous trouvez après votre première nuit de garde à vue.

Le promoteur siffle, la voix mauvaise.

— Si vous avez du temps à perdre...

— Je suis fonctionnaire...

— Un modèle.

Je le laisse dire. Les grands gueules ont souvent besoin de petites victoires.

— Bien, commençons... Nous avons donc repêché le corps de Marie-Claire Larget dans la Bièvre, au bas du ponton de *La Vigie*, le jeudi 22 avril en fin de matinée. La victime...

— Vous ne pouvez pas abréger un peu...

Je ne me trouble pas.

— La victime, disais-je, était âgée de trente-trois ans, divorcée, mère d'un petit garçon de dix ans, prénommé Benoît. Elle exerçait la profession d'inspectrice des Impôts et avait disparu le lundi 29 mars vers 9 heures après avoir accompagné son fils à l'école... Nous sommes d'accord, M. Cauchart ?

Il lève les yeux au ciel.

— Cela fait dix fois que vous me répétez cette histoire

et cela fait dix fois que je vous dis que je ne connaissais pas cette Marie-Claire Larget.

Je tapote mon papier.

— Elle, elle vous connaissait. Depuis le 16 mars de l'année dernière, Marie-Claire Larget menait sur votre société, la SCI Cauchart, une enquête fiscale. Elle avait notamment mis à jour des irrégularités dans certaines transactions et s'intéressait, en particulier, aux conditions d'achat de la propriété *La Vigie*.

— Pour rien...

— Vous raconterez cela au juge. Vous essayerez également de lui faire admettre le fait que vous ne connaissiez pas Mme Larget.

— Facile : mon comptable s'occupe toujours en direct de ce genre d'emmerdement.

— Il l'a en effet confirmé. Il a par ailleurs fait état de trois demandes de rendez-vous de Mme Larget vous concernant.

Le promoteur me toise d'un regard méprisant.

— Sans suite. Je n'avais pas de temps à perdre avec cette emmerdeuse.

Je tourne une page et je poursuis, la voix égale :

— Le lundi 29 mars, jour de la disparition de Marie-Claire Larget, vous avez été vu à *La Vigie* par Mlle Sue Hitobé, sur le ponton situé en bas de la propriété, au bord de la Bièvre. Il était entre 11 heures et 11 heures 15. Mlle Sue Hitobé déclare que vous aviez une trace de sang dans le dos de votre imperméable.

— C'est faux ! Ce jour-là, j'avais mon ciré, un ciré jaune !

Jérôme Cauchart respire difficilement, les poings serrés. J'attends qu'il reprenne une attitude normale puis j'enchaîne, surveillant ses réactions :

— Outre ce témoignage, je vais vous redonner

maintenant la liste des différents éléments que nous avons établi. Tout d'abord, l'imperméable, M. Cauchart. Nous l'avons retrouvé hier soir dans le coffre de votre voiture. Le vêtement présentait effectivement une tache de sang. Cette tache est partie à l'analyse et nous saurons lundi s'il s'agit bien du sang de Marie-Claire Larget.

— Je n'avais pas mon imperméable mais mon ciré.

— Évidemment... Ensuite, la corde : nous avons découvert, toujours dans le coffre de votre voiture, deux mètres de corde, de même qualité et de même section que celle retrouvée sur le corps de Marie-Claire Larget.

Il a un gémissement exaspéré :

— Allez au Bricomarché de Forgette, vous en trouverez des kilomètres...

— Nous allons analyser les brins coupés et nous verrons s'il s'agit de la même corde ou non... En ce qui concerne les sacs à dos maintenant : nous avons trouvé dans votre voiture la facture d'achat des deux sacs à dos qui, remplis de pierres, ont servi à faire couler le corps de Marie-Claire Larget. Achat Décathlon Seilans Nord du lundi 29 mars à 10 h 15. Une explication, M. Cauchart ?

— Allez vous faire voir.

— Bien. Pour terminer, notre enquête a établi deux autres points ; le premier, que vous aviez avec Sue Hitobé des relations rétribuées à *La Pagode* depuis environ six mois, et le second point, que vous étiez bien dans le jardin de *La Vigie* le lundi matin 29 mars, jour de la disparition de Marie-Claire Larget.

Il s'emporte à nouveau :

— Je ne vous l'ai jamais caché ! J'avais un rendez-vous avec Jean-Luc Javion, un type de la mairie de Seilans. Il n'est jamais venu.

— M. Javion était à Paris ce jour-là. Il déclare que vous aviez annulé votre rendez-vous huit jours auparavant.

Le promoteur rugit, tapant du poing dans la paume de sa main :

— Il ment !

Je referme le dossier avec un soupir.

— Je sais, vous me l'avez déjà hurlé à de nombreuses reprises... Le problème est que M. Javion a confirmé l'annulation de votre rendez-vous dans sa déposition et que nous avons d'autre part vérifié sa présence à Paris le lundi 29 mars... Bien, voilà où nous en sommes, M. Cauchart... Vous continuez bien sûr à dire que vous êtes innocent du meurtre de Marie-Claire Larget ?

— Vous me prenez pour un con ?

Je n'ai pas d'opinion et préfère me lever. Au bout de ma jambe, ma cheville me fait souffrir. Je marche jusqu'à la fenêtre et la douleur se calme un peu, retrouve son intensité habituelle, un niveau diffus qui se supporte comme une dent malade.

J'ai un regard pour la rampe d'accès du parking, les pigeons, la petite cour intérieure dont le toit en grillage laisse voir les poubelles. Quelque chose continue à me gêner dans cette histoire sans que je réussisse à savoir quoi. À la réflexion, ce n'est pas tant la personnalité de Jérôme Cauchart que son énergie à nier. Quelque chose me dit que, coupable, le promoteur ne réagirait pas de cette manière. En bloc, avec une violence maladroite qu'il sait le desservir. Il crie comme un putois et s'indigne comme une vieille fille. À croire que l'injustice le fait retourner à la case maçon.

Je tapote la vitre sale, cherchant une explication. Puis je me raisonne : les charges sont là et le coupable aussi. Il faut seulement que je force un peu Cauchart pour le pousser à la faute.

Je rajuste ma cravate et je retourne à mon bureau.

— Nous reprenons du début, M. Cauchart. Que faisiez-vous le lundi 29 mars entre 8 heures et 12 heures ?

— Vous êtes têtu, hein ?

J'ai un sourire froid.

— Pire que ça... que faisiez-vous le lundi 29 mars entre 8 heures et 12 heures ?

Une heure plus tard, je suis de nouveau devant la fenêtre. Le tour de piste n'a rien donné. Jérôme Cauchart continue de nier sans offrir d'ouvertures.

Je revois le corps de Marie-Claire Larget sur le ponton, le petit visage constellé de tâches de rousseur de son fils Benoît, sa main dans la mienne. Et je fais un effort.

— M. Cauchart : que faisiez-vous le lundi 29 mars entre 8 heures à 12 heures ?

Le promoteur pousse un gémissement :

— Non, ça suffit... Allez vous faire foutre !

— Granier...

Mon adjoint fait la grimace. Lui aussi réclame une pause.

— Entendu... Va chercher des sandwichs. Ensuite, on ira dans la maison et les bureaux de ce monsieur.

— Jambon ?

J'ai un geste indifférent. Mon adjoint lève sa lourde carcasse et quitte la pièce en roulant des épaules. Un parachutiste rejoignant son quai d'envol.

Mon regard se porte à nouveau sur le parking. Les cinq étages du bâtiment évitent à l'annexe de souffrir du soleil et à moi-même d'abuser des distractions. Je me penche, levant la tête vers le ciel. Il fait beau et un carré bleu piscine chapeaute les hauts murs. Le déluge des dernières semaines semble oublié.

— Je peux fumer ?

Je lui fais signe que non. Le promoteur soupire, allonge les jambes, cherche quelque chose à dire.

Il finit par trouver.

— Vous ne m'aimez pas beaucoup, hein ?

Je quitte la fenêtre et je boîte jusqu'à mon bureau. Là, je m'appuie à la table, dérangeant quelques dossiers.

— Je crois que je n'ai pas à vous aimer.

Il hausse les épaules.

— C'est parce que j'ai réussi et pas vous ?

— Comment savez-vous si j'ai réussi ou non, M. Cauchart ?

Son regard me jauge d'un air entendu. Il renforce son message en détaillant la pièce, le mobilier en tôle, les classeurs déglingués, le portemanteau perroquet dont il manque une branche. Le promoteur termine par la fenêtre, un modèle qu'on ne pose plus, même en banlieue.

— Pas difficile à juger. Vous êtes un flic minable, dans un bureau minable et je suis pour vous un coupable idéal. Assez riche, assez connu, exerçant qui plus est une profession à la réputation peu reluisante.

— Seulement « la réputation », M. Cauchart...

Il hoche la tête.

— Allez-y, foutez-vous de moi. Mais je vous avertis : j'ai bossé pour arriver où je suis. J'ai commencé avec une brouette et je ne vous laisserai pas tout foutre par terre parce que mes manières ne vous reviennent pas !

Je corrige d'un ton patient.

— En elles-mêmes, vos manières m'intéressent peu, M. Cauchart. Par contre, dans la mesure où elles correspondent aux actes que vous avez commis, elles apportent un élément de plus à mon enquête.

— Quel élément ?

Je souris une nouvelle fois.

— De cohérence. Vous êtes un violent, M. Cauchart, et c'est très bien pour un criminel.

— Je ne suis pas un criminel !

— Oh ! que si ! et tout ce que vous me dites va dans ce sens.

Il me fixe, interloqué :

— Tout ce que je vous dis ? Qu'est-ce que je vous ai dit ?

Je me mets à rire.

— Vous venez de me dire que vous aviez « bossé » pour arriver à votre situation.

— Et alors ?

— Alors, rien, je veux bien vous croire. J'en suis même sûr. D'autant plus sûr que c'est exactement ce que vous avez dû déclarer à Marie-Claire Larget : « J'ai bossé pour en arriver là et je ne vous laisserai pas tout foutre par terre. » Et vous l'avez tuée.

— Non !

Il se lève d'un bond, les yeux hors de la tête.

— Je ne l'ai pas tuée ! Puisque je vous le dis ! Je ne l'ai pas tuée ! Vous voulez que je vous l'épelle ! Pas tuée !

— Calmez-vous, M. Cauchart, crier n'a jamais ramené une victime à la vie. Vous l'avez tuée et vous...

Je n'ai pas le temps de terminer. Son énorme poing s'abat sur ma figure et ma tête explose comme une pêche pourrie.

— Boiteux ! Hé ! Boiteux !

La voix vient de très loin, du haut d'un balcon, peut-être du ciel. Je fais un effort et je tente d'ouvrir les yeux. D'abord, je ne vois rien. Ensuite, je ne reconnais pas le faciès monstrueux qui se penche sur moi.

— Qui êtes-vous ?

L'inconnu s'énerve :

— C'est moi, Gallot ! Ma parole, tu es encore dans les vapes !

Je me redresse avec difficulté. Ma tête joue des timbales et dans ma bouche, ma salive a un goût de sang. Pourtant, peu à peu, les souvenirs me reviennent, Cauchart, les cris, le coup de poing. Gallot...

Je réussis à fixer le chef du laboratoire.

— Je ne t'avais pas reconnu... tes lunettes... Qu'est-ce qui t'est arrivé ?

Ma voix est pâteuse, bizarrement sourde. Celle de Gallot, en revanche, vire au glapissement :

— Comment, ce qui m'est arrivé ? Mais c'est ce dingue démesuré ! Dans le couloir ! Un coup de tête, vlan ! Il m'explose le nez et bousille mes lunettes ! Regarde ! Cassées en deux !

Il sort de sa veste les débris de ses loupes. Je n'ai pas le courage de compatir, mais j'observe malgré moi le visage qui me couve. Le laborantin a le nez sanguinolent, les yeux exorbités, une bouche de vieux caniche habitué aux charognes. Sur son crâne, son unique mèche retombe en queue de rat sur la mauvaise oreille.

L'odeur aigre de mon sauveteur me ranime tout à fait. Je me dégage du bureau effondré et je remets un peu d'ordre dans mon costume. Je cherche ensuite le téléphone.

— Des montures à 900 balles ! gémit le laborantin en se redressant à son tour.

Il renifle, s'essuie le nez avec sa manche. Une coulée de sang entache le vêtement, met du brun sale sur du tergal douteux. Je lui signale les dégâts et je me penche derrière mon bureau. Trop vite. Mon cerveau ne suit pas et un brusque vertige accompagne le mouvement. En catastrophe, je me raccroche au fauteuil.

— Ça va, Boiteux ?

— Ça va, ça va... occupe-toi de tes taches.

Le téléphone est par terre, au milieu des dossiers.

— Une veste presque neuve, merde...

— Tu en as aussi sur le front.

Je récupère le combiné et je numérote aussitôt. Donner l'alerte !

C'est un peu tard : le planton de service l'a vu sortir, un homme très grand, oui, blond, oui, la cinquantaine, oui, en blouson de sport, oui, oui. Très aimable, il lui a même souhaité un bon week-end.

Mon mal de tête monte d'un cran et je me frotte le front. Passer au deuxième stade.

— Prévenez les patrouilles, Danin : Jérôme Cauchart, cinquante ans, cheveux en brosse, environ 1 mètre 90 pour 100 kg, vêtu d'un blouson beige, d'un polo bleu et d'un pantalon clair. Il n'est pas armé. Suspecté de meurtre.

— Cela ne va pas être facile, objecte Danin.

Je hurle :

— Comment, « pas facile » ?

— À cause des Trois Jours de Seilans, inspecteur. Tout le monde est réquisitionné.

— Passez quand même l'appel, Danin, si ce n'est pas trop vous demander. Et envoyez quelqu'un au domicile du promoteur : 16, route du Golf, à Saint-Gramet.

Granier entre au moment où je raccroche.

— Il n'y avait plus de jambon, j'ai pris des rillettes... Qu'est-ce qui s'est passé ? Vous vous êtes battu ?

Mon adjoint nous fixe tour à tour puis se polarise sur Gallot.

— Tu as une drôle de tête sans tes lunettes. On dirait un poisson mort.

Le laborantin hausse les épaules.

— Je préfère ressembler à un poisson mort qu'à un singe chauve.

Granier ne relève pas. Il se tourne vers moi, m'indique la chaise vide.

— Où est Cauchart ?

— À deux minutes près, tu le croisais. Il vient de s'enfuir.

Je boîte en vitesse vers la porte.

— On fonce, Granier. Il faut le retrouver.

La sirène dérange les pigeons mais n'écarte pas les voitures. Granier freine brutalement, tente de passer à gauche. Cela ne sert à rien. Un bus coincé par l'embouteillage débarque ses sardines au milieu de la chaussée.

— En arrière, Granier ! Prends la rue Clerc. Ils doivent bloquer la rue Nationale.

Mon adjoint se tourne avec un juron. La vitesse s'enclenche brutalement et le moteur s'emballe. La Renault part à reculons, zigzague. Des klaxons se manifestent et un taxi manœuvre pour nous laisser la place.

— Attention !

Cette fois, la voiture bondit en avant. J'arrête du bras un scooter et on s'engage dans la rue Clerc, rejetant de la piétaille sur les plots de survie. Un gendarme nous aide, bras levé, sifflet en bouche, et on rejoint à pleine vitesse la rue de la République. Pour rien : l'axe est également bloqué.

— C'est quoi, cette manifestation ? grogne mon adjoint.

— Les Trois Jours de Seilans, Granier. Tu ne lis pas le journal ?

Il hausse les épaules, coupe la sirène :

— Les pages Sport...

— Alors, tu devrais être au courant : en plus des animations commerciales, il y a une course de vélo.

Les participants rejoignent la place de la République en s'apostrophant joyeusement. Une odeur de saucisse-frites flotte dans l'air et des coups de trompe couvrent le bruit des klaxons. Patience.

Dix minutes plus tard, on s'est dégagé de l'embouteillage. Mon adjoint accélère dans la rue Castelli et franchit un feu rouge en frôlant une estafette.

— À gauche ou à droite ?

— À gauche. L'immeuble en verre fumé. Arrête la sirène, on a peut-être encore une chance de le surprendre.

Son coup de volant me tasse contre la fenêtre. En

forme, il coupe ensuite la route à une 205 et remonte la contre-allée en frôlant les voitures. Enfin, il pile devant le numéro 6.

— Bloque l'accès au garage.

On repart pour cinq mètres et, de nouveau, Granier écrase le frein. Sur le trottoir, une fausse blonde fait un écart. En bout de laisse, son pékinois quitte le sol avec un couinement et atterrit contre un poteau de parcmètre.

Je sors de la voiture, brusquant ma cheville. La femme me lance un regard courroucé puis aperçoit Granier. Ce dernier a dégainé son 9 mm et, l'arme au poing, démarre un sprint dans sa direction. Du coup, le pékinois s'offre un nouveau vol.

Le hall est vaste, rectangulaire, dallé de faux marbre et orné de miroirs surdimensionnés. Une composition florale à base de lis plastiques adoucit le décor et un tableau plaqué cuivre annonce les occupants. La SCI Cauchart fait partie de la liste.

— L'escalier, Granier.

Mon adjoint disparaît et je patiente en surveillant le bouton d'appel. À part moi, tout semble calme, le poste de télévision qui fonctionne dans la loge, une voiture sur la rue, l'appel d'un enfant quelque part sur le trottoir.

L'ascenseur finit par arriver. Il est vide et je passe ma commande : troisième.

À l'étage, Granier est déjà là. Placé à droite de la double porte, il me fait signe de garder le silence et, lentement, tourne la poignée.

Le panneau métallique s'entrebâille, libère un peu de jour, révèle un triangle de moquette beige. Sur l'autre battant, la plaque de la SCI Cauchart est légendée d'un panonceau : « Sonnez et entrez ».

Mon adjoint flanque un coup d'épaule. La porte cogne bruyamment le mur et, à l'intérieur, quelqu'un pousse un hurlement.

— Du calme ! commande Granier.

En costume gris et cravate terne, Boileau roule des yeux affolés. Le comptable est au téléphone, assis sur une sorte de tabouret, les genoux en appui, le dos cambré, les reins prêts pour une séance au fouet. Devant lui, un ordinateur allumé donne des reflets verdâtres à ses montures d'écailles.

— Ne tirez pas...

Une voix d'avant la mue. Il raccroche d'un geste automatique, fixant l'arme de Granier.

Je le rassure :

— Ne craignez rien, M. Boileau. Nous cherchons Jérôme Cauchart.

— M. Cauchart ?

Mon adjoint rengaine son arme et confirme, la voix maussade.

— Lui-même. Vous l'avez vu ?

Boileau hésite. Il est encore tremblant et semble avoir du mal à rassembler ses idées. L'attitude de Granier ne l'aide pas. Sans attendre sa réponse, ce dernier a pris le couloir et commence à ouvrir les portes avec une douceur de maton.

Je surveille machinalement les autres bureaux, les tables à dessin près des fenêtres, les murs blancs, le confort luxueux du petit salon d'attente. La décoration est sans surprise : plantes vertes, maquettes et plans d'immeubles, ces derniers aussi gais que des caveaux en coupe.

Je répète :

— Alors ? Vous l'avez vu ?

— Heu... oui, enfin, non... il est reparti.

— Depuis longtemps ?

J'ai crié et le comptable sursaute. Il se reprend après une déglutition pénible.

— Non, enfin... pas très... avant que vous arriviez.

— Qu'a-t-il fait ici ? Il a été dans son bureau ?

C'est lent mais c'est oui. Boileau remonte ses lunettes, précise encore d'une voix trop aiguë :

— Il n'est pas resté plus de deux minutes, vous savez... Il m'a dit qu'il avait oublié des clefs. Il m'a emprunté ma voiture. Il doit revenir là, tout de suite...

— J'en doute. Granier !

Mon bonze réapparaît.

— Il a filé... Quelle marque, votre voiture M. Boileau ?

— Une BMW...

Un bruit violent ponctue sa réponse.

— Qu'est-ce que c'est ? s'affole le comptable, une bombe ? La fête ?

— Dans la rue ! hurle Granier.

Mon adjoint se précipite vers les fenêtres. Il bouscule Boileau au passage puis ouvre un des battants.

— La voiture ! C'est pas vrai...

— Qu'est-ce que c'est ? répète le comptable en se redressant difficilement.

J'arrive à mon tour devant la fenêtre. Trois étages plus bas, Jérôme Cauchart joue au bulldozer avec une BMW rouge. Le promoteur dégage au pare-chocs la sortie du garage et la Renault résiste mal. Porte avant enfoncée, elle glisse en crabe vers le milieu de la contre-allée.

— Nom de Dieu ! rugit Granier.

— Qu'est-ce que c'est ? s'affole encore Boileau.

La BMW recule pour reprendre de l'élan. Mon adjoint n'attend pas : il se rue vers la porte.

Pour son malheur, le comptable lui fait de nouveau obstacle. Il perd une seconde fois l'équilibre et cherche son salut dans un coffre à classeurs. Ce n'est pas le bon choix : le meuble a des roulettes.

— Attention !

Une deuxième explosion couvre le bruit de sa chute.

La porte de l'immeuble me libère et je me retrouve dehors. La fausse blonde s'est réfugiée dans une cabine téléphonique, son pékinois dans les bras. Cordes vocales paralysées, elle m'indique la rue Sully d'une mimique de carpe.

Je n'ai pas le temps de remercier. Sur ma gauche, Granier dégage la Renault du trottoir avec un bruit de ferraille. Il effectue ensuite un demi-tour version neige et glace.

Le numéro tourne court. Pitoyable, le pneu avant gauche fait du cerceau autour de sa jante.

— Je cherche un taxi, Granier. Tu te calmes et tu t'occupes de ton épave.

Des murs en mauvais état encaissent la ruelle. Les arbres augmentent le phénomène et, branchages mêlés, occultent le soleil. La ville semble loin. Pourtant, Forgette pointe son église au bas du coteau et, au même endroit, une départementale à camions met la banlieue de Seilans à moins de dix kilomètres. Cette réalité vaut pour le cadastre. Quelques virages, un pont de pierre, une pâture en pente bordée par des vieux chênes, et ce bout de colline encore couvert de bois prend des airs de Cévennes.

Le taxi freine, dépasse le portail rouillé de *La Vigie*, longe l'enceinte en partie effondrée de la propriété. Un virage puis la descente s'accentue vers les formes tarabiscotées du pavillon chinois. *La Pagode* sort des bois ses toitures, ses tuiles anciennement vernissées, ses balcons noirs. Cahotant sur la chaussée défoncée, la voiture ralentit encore et s'aligne le long du 7, rue des Vignes.

— Vous attendez.

C'est dit sèchement. Le chauffeur coupe son moteur et, d'un geste indifférent, reprend le *Seilans-République*. Son Coran personnel. Coincé dans les embouteillages, il est déjà resté plus d'une demi-heure sur les rumeurs d'étables du quotidien local.

*La Pagode* est silencieuse. Ses toitures dentelées et ses clochetons se détachent sur le ciel bleu, teinte d'Orient jusqu'aux étourneaux du site. Au premier étage, le balcon de bois chauffe en plein soleil ses balustres sculptés. Côté rue, les trois fenêtres, plus larges que hautes, fermées de claustras, sont séparées de colonnettes en bambou. En fronton de porte, un bouddha peint m'adresse un salut de chef sioux.

Je sonne longuement, respirant un air léger, parfumé au troène. Dans la ruelle, outre mon diesel, deux voitures sont garées à moitié sur le trottoir, à moitié sur la chaussée. Une Peugeot et une Fiat.

— Qu'est-ce que c'est ?

Tenant le battant d'une main, Viviane Ocelli arbore un tailleur abricot sur un chemisier en soie. Le plâtre de son maquillage ne cache pas l'échauffement de ses joues, ni ses faux cils la nervosité de son regard. Ses soixante-cinq ans respirent également un peu vite.

— Je croyais que le juge avait classé l'affaire...

Je la rassure :

— Le juge n'a pas changé d'avis, madame Ocelli, mais il n'a pas interdit les visites. Je ne vous dérange pas, au moins ?

Elle hausse ses maigres épaules.

— Que voulez-vous ?

Une forte odeur de javel monte du carrelage. Mon regard parcourt ce que je peux voir de l'entrée, l'énorme vase chinois sur la table basse, le paravent de bois, la banquette en velours rouge. Capitonnée du même velours, la porte donnant sur le salon est fermée. Dans le coin opposé, une serpillière trempe dans un seau bleu de France.

— Vous êtes très élégante quand vous lavez par terre.

— Ce n'est pas parce qu'on fait le ménage qu'on doit s'habiller en portugaise. Vous désirez, inspecteur ?

Elle a repris son calme. Je soupire, revenant à mon problème principal.

— Je suis venu vous prévenir que vous pourriez avoir d'ici peu une visite désagréable. Jérôme Cauchart vient de s'échapper de la PJ de Seilans où nous l'interrogions...

— Félicitations.

Derrière moi, une voiture passe lentement, s'arrête plus bas au carrefour de l'avenue. Puis redémarre.

Mon ton se veut parfaitement détaché :

— Vos talents de maquerelle sont une chose, madame Ocelli, la mort d'une jeune femme en est une autre. Alors, gardez vos réflexions et écoutez-moi. Je suis seulement venu vous dire qu'il est fort possible que Jérôme Cauchart sonne ici. Il n'est pas censé savoir que Sue Hitobé a quitté *La Pagode* et il risque d'être beaucoup plus nerveux que moi.

Elle ne paraît pas vraiment impressionnée.

— Que voulez-vous qu'il me fasse ?

— Je n'en sais rien... mais il voudra sans doute apprendre ce que vous avez dit à la Police et surtout si vous savez où se trouve Sue Hitobé.

— Comme je n'en ai aucune idée, inspecteur, le problème sera vite réglé.

J'insiste avec une patience d'asiate spécialisé en retard scolaire.

— Malgré votre passé, vous manquez apparemment d'expérience, madame Ocelli. On meurt aussi bien pour une information que l'on cache que pour une information que l'on ignore. Sauf que dans le deuxième cas, on n'emporte rien dans sa tombe.

— Alors, dites-moi où se trouve Sue.

J'apprécie.

— Je comprends que le juge vous ait relâchée... Bon, j'aime beaucoup les discussions en pas-de-porte, mais j'ai d'autres choses à faire. Je ne vous demande pas de m'appeler si Jérôme Cauchart vous rend visite ?

— Je ne vous demande pas si vous allez faire surveiller la maison ?

Je la salue avec un mince sourire. Privilège de l'âge, je lui laisse le dernier mot.

La Renault est garée sur la rue. Au volant, Grattare somnole, la radio en sourdine, une main dans un paquet de chips. Je frappe au carreau, observant en contrebas la maison de Cauchart.

Au milieu du jardin baigné de soleil, le grand pavillon semble en effervescence. Les croisées du salon sont ouvertes et des rires résonnent jusqu'à la rue. Sur la rampe du garage, une Porsche bleu marine stationne, un carton sur le toit. Des motos sont plus loin, le long de la rocaille.

Les pommes gaufrettes rejoignent le vide-poches et Grattare ouvre sa portière.

— Aucune personne répondant au signalement, inspecteur. Les seuls à aller et venir sont des jeunes. Ils transportent du matériel pour une soirée. Rien de méchant : du Coca et des paquets de chips...

— Vous les rançonnez ?

Il se met à rire.

— Ils sont sympas... D'après ce qu'ils m'ont dit, la petite Cauchart fête ses dix-huit ans. Vous la connaissez ?

— Non, pas encore.

— Vous n'allez pas être déçu.

Il reste songeur un instant puis me montre sa radio.

— Vous avez entendu ? C'est Boris Rimonov qui a gagné le contre-la-montre aux Trois Jours.

— Le frère de Youri ?

Son trouble fait plaisir à voir.

— Ah ! ça, je ne savais pas qu'il avait un frère...

Mon regard repart vers la maison, ses deux étages de crépi crème, sa toiture d'ardoise sur un plan en L qui laisse le mur nord abriter la piscine. Tout autour, mais à bonne distance, le même genre de pavillons greffent la colline, des pelouses, des haies bien entretenues quadrillent le terrain. Le lotissement de Saint-Gramet se vend avec le golf, un parcours dix-huit trous qui démarre plus haut, derrière le bois de chêne.

— On peut rentrer par-derrière ?

Le gendarme secoue la tête.

— Il y a une autre maison avec un berger allemand et un grillage de deux mètres. En plus, on peut voir d'ici le bout du jardin.

Il me montre, de l'autre côté du pavillon, une haie de thuyas qui ferme l'immense pelouse. Sur celle-ci, un groupe de prunus et un tulipier du japon jouxtent une petite serre. Solitaire, un pin centenaire ombrage la partie opposée du terrain, non loin d'un portique avec anneaux, trapèze et balançoire.

— Demandez la même surveillance pour le 7, rue des Vignes. La maison s'appelle *La Pagode*.

Il a une moue embêtée.

— C'est que là, c'est le week-end. On n'est pas un bataillon.

— Trouvez un stagiaire.

Le bouton d'appel déclenche une sonnerie et quelques grésillements. C'est tout. L'interphone reste silencieux et la grille demeure fermée, ses pointes de lance moulurées dressées vers le ciel bleu. Je récidive et, sans autre préambule, le mécanisme du portail se déclenche.

L'allée gravillonnée me mène jusqu'au perron. Des massifs de rosiers et des petits lampadaires jalonnent le parcours, et du buis encadre les trois marches. Ces dernières gravies, je peux jouer d'un heurtoir, une main de laiton aux doigts pointés vers le sol.

L'effet est cette fois immédiat. La porte d'entrée s'ouvre et une voix féminine m'interpelle :

— Tu ne sais plus tourner une poignée, non ? Je... merde ! excusez-moi.

Une adolescente se tient devant moi. Brune, coiffée au carré, une jolie tête sur de fortes épaules, elle est habillée d'un tee-shirt blanc et d'un pantalon bleu, chaussée de tennis. Sa main cache sa bouche et ses yeux violets cherchent à m'identifier.

— Je vous connais ?

Je souris, secouant la tête.

— Inspecteur Déveure, de la Police judiciaire. Je voudrais parler à Mme Cauchart.

La jeune fille hésite. Derrière elle, dans une autre pièce, un rire se fait entendre et paraît se répercuter sur la glace biseautée, les colonnes de marbre et la fontaine dorée qui décorent le hall. Dallé en noir et blanc, ce dernier laisse voir un début d'escalier et deux double portes à petits carreaux miroir. Celle de droite est entrouverte.

Les lèvres épaisses de l'adolescente ont une moue ennuyée.

— C'est que ma mère se repose...

— Vous êtes Sandrine Cauchart ?

— Oui.

Curieusement, je ne retrouve rien du promoteur. Ou alors, peut-être cette mâchoire trop énergique et la largeur des épaules. Un cran plus bas, deux seins minuscules pointent sous le tissu blanc. Là non plus, aucune ressemblance.

— Votre père n'est pas là ?

Son regard vire brusquement.

— Vous vous fichez de moi ?

Je n'ai pas le temps de démentir. Un éphèbe aux yeux clairs pousse la porte vitrée.

— Sandrine ! Il faut virer tous les fauteuils du...

Lui aussi se bloque dans sa phrase. Il me fixe une seconde puis retrouve sa politesse.

— Désolé pour l'intruse... il y a un lézard ?

Je le rassure :

— Rien qui vous concerne... Je peux voir votre mère, Mlle Cauchart ?

La jeune fille hausse les épaules. Elle s'est calmée et son visage ne montre plus qu'une indifférence maussade.

— Elle dort, elle a pris ses cachets.

— Pour les fauteuils, Sandrine...

C'est l'éphèbe. Ses boucles sont parfaites et son minois de fille s'éclaire d'un joli sourire. Pour l'habillement, l'Adonis est sponsorisé : Lacoste pour le buste et 501 pour le jean.

— Tu me gonfles avec tes fauteuils, Mathieu.

C'est dit calmement. L'éphèbe n'insiste pas et la porte se referme.

Je questionne :

— Votre mère est fatiguée ?

Sandrine Cauchart hausse les épaules.

— Une dépression... comme tout le monde...

— Je suis désolé.

Elle hausse les épaules.

— C'est comme ça. Depuis huit mois, elle ne sort plus de sa chambre et quand elle mange, c'est pour se faire vomir. Maintenant, même si je la réveille, il lui faudra deux heures pour comprendre qui vous êtes.

C'est un peu long et je lui tends ma carte ;

— Mes numéros de téléphone. Si vous voyez votre père, dites-lui de me joindre immédiatement. Cela vaudra mieux.

Je me dirige vers la sortie, songeant qu'entre le père et la fille, je passe décidément un bon samedi. Sans doute les ressemblances que je ne trouvais pas tout à l'heure...

Sandrine Cauchart me rattrape au bas des marches.

— Pour mon père, qu'est-ce qui se passe ?

Je marque une pause.

— Il s'est échappé, Mlle Cauchart. Nous le recherchons.

Du coup, elle m'accroche par le bras.

— Comment, « échappé » ? Qu'est-ce que vous dites ?

Je répète patiemment :

— Il était interrogé à la PJ...

— Je sais qu'il était à la police ! Il a eu le droit de nous téléphoner hier soir. Mais pourquoi il s'est enfui ? Hein ? Vous l'accusez de quoi ?

J'hésite. La gosse n'est qu'une grande pousse qui voudrait fêter ses dix-huit ans tranquille. Je peux comprendre. Mieux vaut la laisser et éviter de jouer avec ses nerfs.

— Sandrine ! Les coupes à champagne...

L'éphèbe fait sa réapparition. Il me reconnaît, évalue la scène, et cette fois, n'ajoute rien. Avec un geste d'excuse, il disparaît dans la maison.

Toujours accrochée à moi, Sandrine questionne d'une petite voix :

— Alors ? Vous l'accusez de quoi ?

— Des histoires financières, Mlle Cauchart. Ce serait un peu long à vous expliquer...

— C'est grave ?

Je biaise, respirant malgré moi son parfum de vanille :

— Assez pour qu'il tente de s'enfuir.

Sur cette pirouette, je me dirige vers le portail. C'est peine perdue : la jeune fille ne me lâche pas.

— Attendez... je voudrais encore vous demander quelque chose...

De nouveau, ses yeux à affoler un bonze. Je me raisonne et je me concentre sur autre chose, le grain de beauté qui marque sa joue gauche.

— Je voudrais vous demander si... enfin si vous pensez que je devrais annuler ma soirée... mon... mon père voulait que je fasse cette fête... pour maman... il disait que cela lui ferait peut-être du bien d'entendre de la musique... des gens s'amuser... mais moi je ne sais pas... il n'est pas là et il y a ces histoires avec vous... je ne sais pas... qu'est-ce que vous en pensez ?

Je réfléchis, pesant ce qu'elle me demande. Puis je me traite d'abruti : à chacun son rôle.

— Si vos parents étaient d'accord, ce n'est pas moi qui vous en empêcherai. Essayez de vous amuser.

— Vous viendrez ?

Je me dégage et je m'éloigne sans plus me retourner.

À LA PJ, je termine de ranger mon bureau lorsque Granier fait sa réapparition. Mon adjoint se laisse tomber sur un siège en soupirant, son blouson largement ouvert sur sa chemise d'été.

— Je viens du garage... quelle séance ! Quand j'ai dit à Ravon pour la voiture, j'ai cru qu'il allait m'assommer avec sa clef à mollette. Jamais vu un type aussi impulsif !

Je récupère un dernier dossier sur le sol. Il me faut un peu de temps pour l'identifier puis pour le poser sur la pile adéquate : cambriolage. Je passe ensuite à mon bureau, la boite de stylos renversée, mon calendrier hors date.

Mon silence ne trouble pas mon adjoint.

— J'ai vu aussi Bornalin.

— Bornalin ?

Il acquiesce.

— En chair et en graisse... Ce fouille-merde m'a demandé où tu en étais pour Cauchart...

— Qu'est-ce que tu lui as dit ?

— Que l'affaire était pratiquement terminée et qu'il lirait bientôt le récit de tes exploits dans les journaux. Cela ne l'a pas fait rire... Il a dit qu'il allait appeler le juge... Qu'est-ce que tu trafiques ?

Je lui montre ma table.

— Je mets de l'ordre dans mon environnement. En même temps, je réfléchis. Au point où nous en sommes, ce n'est peut-être pas inutile.

— Ah. Et où en sommes-nous ?

Granier n'est pas intéressé. Il regarde par la fenêtre, cherchant sans doute à deviner, au-dessus du parking, si la nuit est tombée.

La sonnerie du téléphone me dispense de lui servir une amabilité. Je me nomme sèchement. En réponse, je ne reconnais pas la voix qui chevrote au combiné. Une voix de vieille femme, une voix qui s'excuse d'être encore en vie, qui s'excuse de téléphoner, qui s'excuse de m'avoir trouvé.

— Qui est à l'appareil ?

— Mme Larget, s'affole la vieille femme ; la grand-mère de Benoît. Je vous dérange, inspecteur. Bien sûr que je vous dérange. Je peux vous rappeler plus tard. C'est à cause de Benoît... Je vais vous rappeler...

— Que se passe-t-il ?

La vieille femme pousse un gémissement. Mon pouls s'accélère désagréablement, mais je dois rester patient. La grand-mère m'offre un tour d'horizon.

— Des malheurs, que des malheurs. Je me demande ce que j'ai fait au Seigneur pour mériter autant d'épreuves en si peu de temps. Mon gendre d'abord, ensuite ma fille, ma pauvre petite Marie-Claire tuée, noyée...

Sa voix se brise mais elle réussit à reprendre :

— Et maintenant Benoît qui est à l'hôpital... vous savez, inspecteur, c'est très dur à mon âge, même avec la foi, les prières...

— Je m'en doute, Mme Larget. Que se passe-t-il ?

La vieille femme pousse un autre gémissement.

— C'est Benoît... il ne va pas très bien, vous savez,

il ne mange quasiment plus... il est tellement difficile cet enfant... un vrai diable... j'ai pensé que peut-être... enfin, si vous pouviez passer le voir... à l'occasion, je veux dire, sans vous déranger... parce que je sais que vous êtes très...

Je l'interromps :

— C'est d'accord, Mme Larget, je passerai ce soir à l'hôpital. Dites-lui de me commander un plateau, je dînerai avec lui...

Je raccroche difficilement mais ce n'est pas fini. Le combiné ressonne immédiatement.

— Déveure ? Chassagne à l'appareil. C'est quoi cette histoire avec Cauchart ?

Mon supérieur a le ton sec. Je prends une profonde inspiration et je lui résume ma matinée. Néanmoins prudent, j'évite de parler de la voiture.

— Aucune trace depuis ?

Je dois reconnaître que non.

À l'autre bout du fil, le silence de Chassagne ne me dit rien de bon. Dans ce genre de cas, le gros commissaire a des lenteurs de Charolais préparant une charge.

— Quand deviez-vous amener Cauchart à Vocker ?

— Au juge ?

Au téléphone, Chassagne s'énerve :

— Oui, au juge ! Vous en connaissez plusieurs des Vocker à Seilans ?

— Non, c'est plutôt un nom de l'Est... Je croyais que c'était Clareti qui avait l'affaire.

— L'imparfait est de circonstance, le dossier a été repris par Vocker avec de nouvelles consignes.

— Ah. Et lesquelles ?

Le commissaire ricane :

— Toujours les mêmes : pas de bruit, pas de vagues, pas de politique.

— Cauchart a acheté *La Vigie* à Viviane Baudrier, commissaire. Viviane Baudrier est la femme de Pierre Jantoue. Pierre Jantoue est le maire de Forgette et le trésorier du MNPF. Le MNPF est le parti de Lucien Potry, le député-maire de Seilans. Cela va être difficile de ne pas faire de politique, M. le commissaire.

— Pas pour Vocker. Maintenant, je vous répète ma question : quand deviez-vous amener Cauchart au juge ?

Je soupire :

— La garde à vue finissait dimanche. Je pensais lui amener lundi matin.

— Bien, vous avez jusqu'à lundi matin pour le retrouver.

Il raccroche brutalement et je reste quelques instants la main levée. Puis je repose le combiné avec précaution.

— Il était aimable ? questionne Granier.

J'ai une moue.

— Plutôt, oui... tu as une autre voiture, Granier ?

La mine de mon adjoint s'allonge instantanément.

— Ravon m'a donné la plus vieille du garage : une 304 ! Il dit que celle-là, je peux en faire ce que j'en veux.

La vieille Peugeot longe les piles du pont puis, après un car désossé et un campement de manouches, se gare dans la pénombre de la rue des Fabriques.

Le 16 est un hôtel. À l'aplomb des pavés disjoints, face au périphérique, l'établissement montre un bel échantillonage de crépi écaillé et de stores pourris. Une simple enseigne peinte signale l'activité et, à droite de l'entrée, une vitrine pleine de mouches donne le prix des chambres et de la baignoire sabot.

Je descends, libérant Granier. Mon adjoint repart en direction du périphérique, moteur cliquetant, un feu rouge, le droit, hors service.

Je ne bouge pas du trottoir. Mon regard surveille la rue, les façades lépreuses, l'Africain qui, vingt mètres plus loin, vidange sa R12 à même le caniveau. Dépassant la voiture, deux Arabes s'engouffrent dans une entrée d'immeuble, une construction lépreuse tendue de câbles EDF et de fils téléphoniques. À l'opposé, une femme se rapproche, un foulard sur la tête, ses paniers à la main.

Au niveau de l'hôtel, une énorme pile en béton remplace le vis-à-vis. Des voitures stationnent à cet endroit et dissimulent en partie un kit de scooter et une benne à ordures. Hormis des pigeons qui disputent à un chien le plaisir des poubelles, là encore, tout semble normal.

J'ai un dernier regard pour la rue et je pénètre dans l'hôtel. Une sonnerie vibrionne désagréablement et je marque un temps. La seule lampe allumée se trouve à gauche d'un étroit escalier, au-dessus de la réception. Cette dernière est en fait un petit bar grossièrement réaménagé.

— Déveure ! Mon frère !

Youssef est rayonnant. Il se lève avec un grand sourire et contourne le comptoir pour venir m'accueillir.

— Je me demandais si tu allais venir. Et puis je me suis dit : « Youssef, tu verras bien », et tu es venu !

Le Tunisien me serre la main avec effusion. Il a une quarantaine d'année, la taille d'un pygmée, un ventre de chamelle pleine. Ses cheveux huilés commencent à se raréfier et un crâne couleur olive s'arrondit sous ses mèches. Une paire de lunettes lui donne un air d'épicier un soir d'inventaire, et, sous sa moustache, des dents de bébé et une incisive en or se découvrent de plaisir. Du même métal que l'implant, une chaîne, une montre et quelques bagues équipent l'hôtelier.

— Tu as mangé ? Tu as bu ? Attends, attends, je vais te servir quelque chose.

Je secoue la tête.

— Rien, Youssef, je suis déjà invité à dîner. Comment va-t-elle ?

— Rien ? Absolument rien ? Par Sidi Chadli, tu me fais l'offense, là !

Sourire effacé, le Tunisien se redresse de toute sa taille. Je le rassure, un regard pour ses vêtements :

— Au contraire, je te rends service.

— Service ? Quel service ? Tu refuses une invitation et tu me rends service ?

Je lui montre son ventre :

— Je te rends service parce que si je mange avec toi, tu devras manger avec moi. Compris ?

L'hôtelier s'attriste brutalement, les deux mains sur sa panse.

— Tu as raison... j'ai déjà les boyaux dehors... je ne mange pourtant pas beaucoup, trois fois rien, des grains de raisin, de la viande de poumon, une nourriture de mouche, quoi...

— Comment va-t-elle, Youssef ?

Il soupire, retourne s'asseoir derrière son comptoir en bois. Du coup, je dois me pencher pour le voir.

— Ah ! ça, elle ne va pas fort...

— Elle est malade ?

Il hausse les épaules :

— Quelle malade ? Elle va aussi bien que toi et moi ! Seulement...

— Seulement quoi, Youssef ?

Le Tunisien retire brusquement ses lunettes et les jette sur ses papiers. Sans protection, deux pois chiches me fixent avec énervement.

— Seulement, il y a que cette femme a les sept défauts et bien d'autres... surtout, elle n'a qu'une envie, c'est de sortir. Comme si elle n'était pas bien ici ! Je lui ai donné ma meilleure chambre, la télé avec la parabole, le plateau des repas mieux que ma propre table. Meskîne de moi ! Pas un merci ! Que des plaintes !

— Tu ne l'as pas laissée sortir, au moins ?

Youssef lève les bras au ciel.

— Pour qui me prends-tu ? Tu m'as dit de fermer, alors, je ferme. La preuve.

Il me tend la clé mais ne la lâche pas immédiatement. Son regard surveille tour à tour la montée d'escalier et un coin du petit hall où une banquette miteuse et un pouf en poil de chameau font office de salon.

— Tu as des nouvelles pour mon affaire ? chuchote le Tunisien.

Je secoue la tête.

— Pas encore, il faut nous laisser un peu de temps.

Il s'énerve :

— Du temps ! On pose une bombe sous ma couette et tu me demandes du temps !

Je rectifie :

— Cette bombe n'aurait jamais pu exploser, Youssef. En plus, elle était dans une remise où tu ne vas que trois fois par an. N'exagère pas.

— C'est ça, c'est ça, je dis n'importe quoi... *Si icheb-bâb !* On verra plus tard qui avait raison... Mais mon malheur fera le tien, je te préviens.

J'abandonne la discussion.

— Je monte, Youssef. Remets la lumière.

— La lumière ! Mais il n'est que 7 heures !

— La lumière, Youssef. Ton escalier est noir comme un tunnel et je n'ai qu'une cheville.

Il se lève en gémissant et tripatouille dans la boîte à compteur. Un claquement sec, et la moquette du petit escalier révèle ses déchirures.

Au deuxième étage, je vais jusqu'au bout du couloir. Le globe poussiéreux éclaire un papier peint aux auréoles rupestres, et une forte odeur de moisi évoque le sanitaire défaillant et le dégât des eaux.

Je frappe au 23, et une petite voix me réclame une seconde. J'accorde le délai puis je débloque la porte.

L'obscurité me surprend. Un léger bruit également. C'est aussi bien. Nerfs tendus, je réagis vite et je peux esquiver. Mon épaule reçoit le choc à la place de mon crâne et la chaise tombe sur le sol. La douleur ne m'empêche pas de réagir : au jugé, j'attrape un bras et je tords.

Sue Hitobé pousse un cri aigu et bascule vers moi. Une bouffée de parfum, le contact d'un sein ferme. Je reste insensible. Ma gifle la renvoie en arrière et la jeune femme se cogne au mur.

Une deuxième gifle et elle glisse par terre avec un gémissement.

J'allume et je ferme la porte. L'Eurasienne est assise sur la moquette, au bas d'un petit banc. Les cheveux dans les yeux, sa jupe noire retroussée, elle montre ses cuisses nues sans se soucier de mes regards. Je note l'absence de sous-vêtements, le chemisier blanc déboutonné, et je ramasse la chaise.

— Tu avais des projets de meurtre ?

Sue Hitobé se tient la joue, reniflant comme une gosse punie. Dans un coin, sa valise est fermée. Sur le lit, son sac à main prêt au départ.

— Non, je voulais sortir d'ici...

Elle a relevé la tête, dégagé d'une main ses cheveux. Le rouge de sa joue tuméfiée jure avec son teint mat, mais cela n'arrive pas à l'enlaidir.

— Tu es dangereuse quand tu veux changer d'air. Tu aurais pu me fracasser le crâne.

Elle se relève, rajuste son chemisier, sa jupe.

— Je ne savais pas que c'était vous. Je croyais que c'était l'autre, l'Arabe qui m'apporte à manger...

— Youssef aurait été content. Il fait pourtant ce qu'il peut pour rendre ton séjour agréable. Tu n'es pas bien dans cette chambre ?

L'Eurasienne a une moue dégoûtée.

— C'est moche ici, c'est sale. En plus, quand j'ouvre les fenêtres, j'ai l'impression que les voitures vont me rouler dessus. J'en ai assez, je veux partir.

— Tu n'as plus peur ?

Son visage se ferme. Elle marche jusqu'au lit et s'assoit sur le bord, la mine boudeuse. Les draps sont défaits, l'édredon en tas sur la moquette. Un magazine féminin est ouvert près de l'oreiller.

— Je veux partir, s'entête Sue Hitobé.

Je ne réponds rien. Mon regard considère la petite chambre, sa tapisserie à fleurs marbrée de taches, l'armoire de bois jaune à la glace centrale fendue. Dans un angle, un paravent en tissu cache un lavabo, des tuyaux de douche, une cuvette de WC. Un morceau de linoléum remplace à cet endroit la moquette.

Du dehors, le grondement de la circulation traverse sans effort la fenêtre. Un fil d'antenne arrive aussi par le battant, effectue un tour mort au bouton du radiateur, et termine son périple branché à une télévision. Une Japonaise.

Un camion fait vibrer les vitres et la jeune fille répète encore :

— Je veux partir d'ici.

Je prends la chaise qui a failli m'assommer et je me pose lourdement. Sue est assise très droite sur le lit, les mains sagement croisées, les jambes serrées. Ses yeux en amande n'expriment rien, son visage lisse guère plus. À peine si la bouche montre d'un pli buté sa détermination. Je me dis qu'il est impossible de savoir ce qu'elle pense. Ni ce qu'elle est. Une étudiante à qui l'on refuse une sortie ? Une boat-people ne comprenant rien à la langue ? Un animal sans beaucoup de cervelle ?

— Déshabille-toi, Sue.

Elle me fixe sans paraître surprise.

— Vous avez envie ?

D'un geste automatique, ses doigts sont remontés vers son col. Elle commence à déboutonner son chemisier et fait, en même temps, glisser ses escarpins.

Je lève la main en soupirant. Voilà ce qu'elle est : un animal trop bien dressé.

— Arrête, Sue.

— Vous n'avez plus envie ?

L'Eurasienne a écarté les pans de son vêtement. Ses seins pointés me font des avances, mais je ne suis pas client. Pour l'heure, j'ai d'autres soucis : je veux que la petite putain de *La Pagode* se tienne tranquille.

— Rhabille-toi. Rhabille-toi et écoute-moi.

— Oui, j'écoute.

Elle ne se rhabille pas. Je passe et je me concentre sur ce que je dois lui faire comprendre.

— Sue, tu es la seule à avoir vu Jérôme Cauchart dans le jardin de *La Vigie* le matin où Marie-Claire Larget a disparu. Vrai ou faux ?

Elle murmure sans bouger :

— Vrai.

— Bien. Tu es également la seule à avoir vu cette tache de sang dans le dos de son imperméable.

— Oui...

Je poursuis, évitant de trop regarder le buste dénudé de l'Eurasienne.

— Sue, quand on vous a arrêté, toi et ta « marraine », tu nous as bien déclaré que Jérôme Cauchart t'avait menacée de mort.

Elle opine doucement du menton.

— Oui, mais ça m'est égal.

— Comment ça, « ça m'est égal » ?

— Il m'aime. Il ne me fera jamais de mal.

Je me frotte nerveusement le front.

— Donc, il t'aime et tu penses que tu ne risques plus rien...

— Oui, je ne veux plus rester ici.

— Et où veux-tu aller ? À *La Pagode* ?

Elle ferme les yeux, avale péniblement sa salive.

— Oui.

— Toute seule.

L'Eurasienne a un mouvement de surprise.

— Pourquoi ? Vous n'avez pas relâché ma... Mme Ocelli ?

Je mens :

— Ta fameuse marraine a été inculpée de proxénétisme par le juge. Elle dort en prison. C'est là que tu veux aller, Sue ?

— Non, pas la prison.

— Je pensais avoir compris cela. Maintenant, je vais te dire autre chose : hier soir, nous avons arrêté Jérôme Cauchart et nous avons commencé à l'interroger.

— Vous l'avez arrêté...

— En garde à vue. Malheureusement, il s'est enfui. Il sait qu'on l'accuse du meurtre de Marie-Claire Larget et il sait que tout repose sur ton témoignage. Tu comprends ce que cela représente pour toi, Sue ?

— Il s'est enfui...

Je perds patience et je hurle :

— Tu ne vas pas répéter tout ce que je dis, non ! Il n'y a pas d'écho dans un garni ! Essaye plutôt de comprendre ! Jérôme Cauchart s'est enfui et il va sans doute vouloir te retrouver ! Et s'il te retrouve, cela risque de chauffer pour tes jolis os, même s'il t'aime ! Comme ça, c'est clair ?

La jeune fille baisse la tête sans répondre. Ses cheveux reviennent en rideau de chaque côté de son visage, donnant un air de prière à ses traits de chat.

Elle finit par chuchoter :

— C'est moche, ici...

J'ai un soupir exaspéré.

— Peut-être Sue, mais, ici, tu es en sécurité. Laisse-moi le temps de remettre la main sur Jérôme Cauchart et tu pourras changer d'endroit.

— Quand ?

— Je ne sais pas, deux, trois jours... en attendant, tu es dans cette chambre et tu n'en bouges pas. Compris ?

L'Eurasienne hoche la tête. Elle reste quelques instants immobile, comme perdue dans ses pensées, puis elle se lève du lit. Tranquillement, elle me tourne le dos et termine de se déshabiller.

Ma voix s'altère un peu :

— Qu'est-ce que tu fais ?

Entièrement nue, elle me regarde avec un pâle sourire.

— Je vais dormir, je préfère.

Sans plus d'explication, elle retrouve son lit et se glisse dans les draps défaits.

— Tu ne veux pas regarder la télévision ?

Je me suis levé. Sue secoue la tête, remonte l'édredon

jusqu'à ses épaules. Elle se pelotonne ensuite sur le ventre, la tête vers la fenêtre.

Je me dirige vers la porte et je tourne la poignée. Dans la masse de ses cheveux, son visage m'apparaît une dernière fois.

— Vous pouvez éteindre la lumière, s'il vous plaît ?

La nuit est tombée sur Seilans. Silencieux et confortable, le taxi traverse la ville et suit au fil des panneaux la direction du nord.

Je regarde distraitement les rues, les magasins déjà fermés, les façades grises aux volets clos. Le samedi ne change rien à l'ambiance. À part le quartier de la vieille ville et celui du quai des Tanneurs, Seilans glisse dans la nuit comme une barge dans la brume.

— Vous avez vu, ils ont encore annoncé du beau temps. Quatre jours de suite... des mois qu'on n'avait pas eu ça.

Le chauffeur n'a pas tort. La douceur de la température vient après tellement de pluie qu'une humidité malsaine stagne sur la ville. L'obscurité renforce cette sensation et les piétons semblent les silhouettes blêmes d'un lâché de fantômes dans une nuit de Toussaint.

— Remarquez, ils annoncent beaucoup de conneries, tempère le chauffeur.

Je me laisse aller, repensant à Cauchart, me demandant avec une pointe d'inquiétude ce que le promoteur nous réserve. Pour la centième fois, j'énumère les charges qui pèsent sur lui et pour la centième fois, j'arrive à la conclusion que Jérôme Cauchart doit être le meurtrier de Marie-Claire Larget.

— Voilà l'hôpital. Vous avez de la famille ici ?

— Je n'ai plus de famille.

Le chauffeur semble apprécier.

— Ce n'est pas forcément désagréable. Moi, j'ai encore tout le monde, père, mère, beau-père, belle-mère. Je peux vous dire que certains jours, les progrès de la médecine me fichent le cafard... Devant la réception ?

— Plutôt que derrière, oui.

La voiture ralentit, passe le porche d'entrée. Une banderole « Hôpital en grève » a été accrochée et des affiches décorent les grilles. En bout d'allée, les lumières de Grévale sortent de l'obscurité. Un hall-aquarium jouxte les parkings et au-dessus, les chambres alignent leurs néons et les écrans télés. Plus inquiétantes, quelques pièces baignent dans un éclairage rougeâtre et des stores demi-baissés montrent des potences et des montants chromés.

— Je viens là au moins deux fois la semaine mais j'y ai jamais dormi. Il paraît que c'est bien.

— On dit la même chose du cimetière. Combien ?

Je paie et sors du taxi. Un léger mal de tête me comprime les tempes.

Après l'ascenseur, le couloir du deuxième étage déroule son linoléum. Malgré l'heure, je ne suis pas seul à faire couiner mes semelles. Dans le sens opposé, le gros Bornalin propulse vers la sortie sa veste en cuir et ses mocassins cirés. Perdu dans ses pensées, il ne m'a pas vu.

— Tu pistes un grabataire, Bornalin ?

L'inspecteur des RG sursaute. Dans son visage épais, ses yeux de poule me fixent avec stupeur :

— Boiteux !

Je m'amuse :

— Lui-même. Qu'est-ce que tu fais ici ? Tu travailles ?

Il grogne, agite son double menton :

— Non, je ne travaille pas.

— Alors ? Tu consultes pour ton poids malgré les grèves ?

Sous ses rares cheveux blonds, sa figure devient cramoisie.

— Un jour, Boiteux, je te casserai la gueule.

— Et un jour, tu arrêteras un truand... Alors, tu fais quoi, dans cet hôpital ? « Des ménages » ?

Du coup, l'ancien costaud perd un peu de mordant.

— Non, rien, une simple visite...

— À qui ?

Il hausse les épaules et sa voix prend des basses graisseuses.

— À un ami, il s'est fait opéré hier... Il est entre la vie et la mort.

— J'ignorais que tu avais des amis... pas certain que ta visite les raccroche à notre monde.

— Facile, Boiteux, facile... et toi ?

J'ai un geste vague.

— Le petit Larget.

— Ah. Et comment il va, ce gosse ?

Je le jauge d'un air perplexe. Cette grosse fouine vendrait sa mère pour un coup tordu et le voir s'intéresser à Benoît me surprend. Sans me rassurer.

— Qu'est-ce que ça peut te faire ?

— À moi, rien, mais je travaille avec Vocker, tu oublies ? Et d'après ce qu'il m'a dit, ce gamin digère mal la mort de sa mère. C'est ça ?

Je dois reconnaître que oui. Benoît ne va pas bien et, même si je peux en comprendre les raisons, le voir dépérir m'inquiète sérieusement.

— Il faudrait qu'il mange...

Bornalin approuve.

— Vocker m'a parlé d'une sorte de grève de la faim... Ces gamins ! Qu'est-ce que tu lui as apporté ?

J'entrouvre mon sac plastique, pas vraiment convaincu.

— Du chocolat au lait, un machin survitaminé... un Yop goût malabar...

Bornalin fait la moue.

— Peut être le Yop... plus on trouve ça mauvais, plus ça leur fait plaisir.

Il secoue sa tête de vieux boxer, sort un cigarillo de sa poche revolver.

— Il se lève ? questionne-t-il en jouant du briquet.

— Le minimum.

Ses bras miment l'impuissance et il commence à s'éloigner.

Au milieu du couloir, il ne peut pas résister :

— Au fait, la garde à vue de Cauchart se passe bien ? On m'a dit que c'était bonnard... de la garde à très longue vue, à ce qu'il paraît...

Il glousse :

— De toute manière, on se voit lundi chez Vocker... Bon dimanche...

Sourire vicieux, cigarillo en l'air, de nouveau du vrai Bornalin.

Pensif, je le regarde partir vers les ascenseurs, roulant ses épaules de lutteur à la retraite, les semelles de ses mocassins brillants chuintant sur le sol plastique.

— Chaud devant !

Poussé par deux infirmiers, un alité remonte le couloir

avec son matériel. Outre des perfusions, une valise et un poste de radio composent son trousseau. De bonne humeur, le moribond m'adresse un clin d'œil au passage. Ses deux coolies portent des brassards au bras droit : « Personnel en grève ».

— N'allume pas la grande lampe, elle me fait mal aux yeux.

Benoît est assis dans son lit, appuyé à un gros oreiller. Un unique rai de lumière vient de la salle de bains et éclaire la chambre au store baissé.

— Tu t'étais endormi ?

— Non, je t'attendais.

— C'est gentil.

Le chauffage est réglé pour les reptiles et j'enlève ma parka. Je lui tends ensuite mon plastique.

— Tiens, des douceurs.

Il prend le sac sans enthousiasme, le pose sur la tablette.

— Merci.

— Tu as un truc qui a le goût de malabar là-dedans... du chocolat aussi.

Mes yeux s'habituent à la pénombre, repèrent, à la tête du lit, le jus d'orange à moitié bu, le paquet de madeleines fermé.

— Tu vas bien ?

— J'ai un peu mal aux yeux... autrement, ça va.

Je m'assieds au pied du lit, détaillant le petit visage criblé de taches de rousseur, les yeux verts vilainement cernés, les cheveux en épis.

— Tu as déjà dîné ?

— Non, je t'attendais. Je vais sonner.

Il se tourne avec difficulté et appuie sur le bouton.

— Il y a des quenelles sauce tomate. Tu aimes ?

— C'est ce que j'aurais commandé. Tu as eu des visites ?

Il grogne :

— Grand-mère. Elle est repartie à quatre heures... elle n'est pas drôle, elle pleure tout le temps. Elle entre et elle pleure. Elle me regarde et elle pleure.

— Elle est vieille, Benoît.

Il hausse les épaules.

— Justement : elle n'a pas à pleurer comme un bébé... Tu as des nouvelles ?

— Pas des bonnes. Jérôme Cauchart s'est échappé de la PJ. On lui court après. Il m'a flanqué un coup de poing, là.

Le gosse n'a pas l'air surpris. Pas impressionné non plus. Il se contente de regarder distraitement ma pommette bleuie, réfléchissant déjà à la meilleure manière de retrouver Cauchart.

— Tu as été chez lui ?

Je souris.

— On fait surveiller sa maison... et *La Pagode*. On recherche aussi la voiture. Une BMW rouge.

— Une BMW rouge, c'est bien... Il n'a pas d'autres maisons ?

— Des appartements, mais en location.

Benoît hoche la tête. Il se tait quelques instants puis passe à autre chose.

— Tu as vu ma nouvelle BD ?

Il attrape difficilement un album sur sa tablette. Ce que je peux voir de la couverture représente une sorte de bataille d'astronefs avec des dégénérés préhistoriques.

— *Mortrek, la vengeance*, explique Benoît de sa petite voix flûtée ; c'est Gabriel qui me l'a apportée.

— Il est gentil, Gabriel.

Il baisse les yeux, pensant à l'ancien amant de sa mère. Gabriel Giraud, un collègue, inspecteur des Impôts lui aussi, un type maigre et étriqué comme un redressement raté.

— Oui, assez gentil... lui aussi, il est souvent malade.

— Le dîner !

L'infirmière se bloque sur le seuil. Elle tient ses deux plateaux à bout de bras.

— Eh bien ! Qu'est-ce qui se passe ici ? On veille un mort ?

Elle allume le plafonnier central. La lumière me fait papilloter et Benoît se plaint :

— J'ai mal aux yeux ! Faut éteindre !

— Rien du tout. Pour bien manger, biquet, faut voir ce qu'on mange.

C'est une grosse femme aux cheveux bruns, avec un visage épais, un grain de beauté sur le menton. Une veste en laine double sa blouse blanche et une paire de socques équipe ses énormes pieds.

Elle navigue jusqu'à la table, ses plateaux en balancier.

— Et mieux tu mangeras, plus vite tu retourneras dans ta maison.

— J'ai pas de maison.

La grosse femme fronce les sourcils. Elle a enlevé les couvercles métalliques et une odeur de tomate remplace celle du désinfectant.

— Faut pas parler comme ça, biquet. Même si tu n'as plus de parents, tu as encore une grand-mère, un toit sur la tête, un lit pour dormir et des quenelles bien chaudes. Crois-moi, il y a plus malheureux que toi sur la planète. Pas vrai, monsieur ?

Je renchéris :

— C'est vrai, Benoît, cela pourrait être pire.

— Pire comment ?

L'infirmière s'échauffe :

— Tu pourrais ne plus avoir de jambes ou être devenu neuneu. Il y en a un comme ça au premier. Il est tombé d'un escabeau et depuis, il porte un corset et se prend pour un frelon. Un frelon ! Il s'habille avec un pyjama noir et se cogne aux fenêtres en faisant « Bzzz ! Bzzz ! » Il fait peur même à sa femme.

Elle mime le vol de l'insecte, écartant ses énormes bras, émettant un bourdonnement de bombardier. Du coup, Benoît est intéressé.

— Il fait vraiment peur ?

— Demain, je t'emmènerai le voir. Mais il faudra que tu te méfies : de temps en temps, il sort son dard, et c'est pas un spectacle pour un enfant. Allez, maintenant, à table. Monsieur va te donner l'exemple. Vous êtes de sa famille ?

Benoît intervient, la voix triste :

— Non, c'est un policier. Il cherche les assassins pour les mettre en prison.

L'infirmière m'adresse un sourire et pousse la table vers moi.

— Allez, mangez pendant que c'est chaud. Je reviens dans un moment pour prendre les plateaux. Je veux qu'ils soient vides. Et cette fois, tu manges aussi le yaourt.

— Non, pas le yaourt, s'entête Benoît ; j'ai dit que je ne mangerai plus un yaourt de ma vie, jamais. Et puis, je n'ai pas faim, d'abord.

— Faim ou pas faim, ça m'est égal.

Elle sort en ronchonnant, ses socques claquant sous ses pieds nus.

Courageusement, je me lève et je me place à l'aplomb des quenelles.

— Allez, Benoît, on fait la course.

Ma fourchette se plante dans deux doigts de cadavre baignant dans du sang frais. J'avale sans trop mâcher.

— Tu ne t'embêtes pas, ici ?

Sur son lit, il secoue la tête.

— Ça va... j'ai mes livres, la télé...

— Et tes copains ? Ils ne te manquent pas.

— Pas trop...

— À l'école, vous devez bien vous amuser, non ?

Il hausse les épaules et pique un petit morceau de quenelle. Il joue ensuite distraitement avec, le tournant et le retournant dans la sauce tomate. Je ne suis pas expert avec les enfants mais, outre sa maigreur, Benoît semble soucieux, préoccupé par un tout autre problème que ce que je lui raconte.

J'abandonne le bavardage.

— Tu as quelque chose à me dire ?

Il hésite, garde les yeux baissés sur son assiette.

Je repousse la mienne.

— Je t'écoute, Benoît. Mais dépêche-toi, je n'ai pas toute la nuit.

— Je voulais savoir... enfin, je voulais, pour ma mère...

— Quoi, pour ta mère ?

Il prend une profonde inspiration et me regarde enfin.

— Je voulais savoir... si... si je te dis que je ne veux plus savoir qui l'a tuée, tu arrêteras ton travail ?

Je reste quelques instants interdit. Je m'attendais à beaucoup de questions, mais pas à celle-là. La preuve qu'en matière d'enfants, il me reste tout à apprendre.

Je soupire.

— Non, Benoît, cela ne marche pas comme ça. Je fais mon travail même si personne ne me le demande. Je le fais pour ta mère, parce que quelqu'un, dans cette ville, est responsable de sa mort et que je veux le trouver.

— Ah... alors, tu chercheras toujours ?

Je me mets à rire.

— Exactement... et si je ne trouve pas, d'autres chercheront à leur tour. Mais ne t'inquiète pas, je le trouverai moi-même.

Il n'a pas l'air inquiet, il est catastrophé. Je retourne à mes quenelles, le surveillant du coin de l'œil.

— Mange, Benoît, cela va être froid... Dis-moi, pourquoi ne veux-tu plus savoir la vérité ?

Il ne répond pas tout de suite, tapote de sa fourchette le bord de son plateau.

— Parce que... parce que ça ne m'intéresse plus... je veux oublier, maintenant, c'est tout.

J'approuve.

— Tu as raison, il faut que tu penses au présent et au futur. Le présent, c'est ta quenelle et le futur, c'est quitter cette chambre d'hôpital. Maintenant, mange. Mange ou je vais vraiment me fâcher.

L'ascenseur atteint le quatrième étage et se bloque avec brutalité. Je pousse la porte d'un coup d'épaule. La minuterie est encore en service et je peux reconnaître la silhouette qui guette sur mon palier.

— Monsieur Déveure, vous voilà enfin !

Mon voisin du troisième. Le vieux Perrot cache son corps maigrichon dans un pyjama lie-de-vin et ses pieds dans des mules écossaises. Il tient à la main un petit sac-poubelle débordant d'épluchures.

Sa bouche ferraillée se lève dans ma direction.

— Je savais que vous n'aviez pas d'horaires, monsieur Déveure, mais à ce point, ce n'est pas sérieux.

— Vous vouliez me voir, monsieur Perrot ?

Je sors mes clés. Le vieil homme s'écarte en patinant

des chaussons et lâche une bouffée de suppositoire au camphre.

— Vous voir, non, ça ne m'intéresse pas, mais je voudrais téléphoner.

— Ah, vous êtes en dérangement.

J'ouvre ma porte et j'allume dans le petit hall. Sans façon, le vieux m'emboîte le pas.

— Je ne suis pas en dérangement, je suis enfermé dehors. Je suis sorti pour les poubelles et Rex a poussé la porte derrière moi. Vous ne l'entendez pas aboyer ?

— Pas plus que d'habitude.

Perrot soupire :

— C'est vrai que vous n'aimez les bêtes ni à deux, ni à quatre pattes. Vous ne devriez pas vivre en immeuble, monsieur Déveure, vous n'avez pas les qualités pour ça.

Je lui montre le bout du couloir.

— Le téléphone est dans la chambre. Je vous en prie.

Le vieux s'engage dans le passage et j'enlève ma veste. Puis je pose un prospectus sur le guéridon et je le rejoins tranquillement.

— Alors ?

Perrot est debout devant le bureau. Il a mis ses épluchures sur mes papiers et, le combiné à l'oreille, ressemble à un sinistré cherchant un lit d'accueil.

— Mme Riom ne répond pas mais c'est normal. Avec elle, il faut faire sonner longtemps.

— Elle a une grande maison ?

Sa tête de momie me fait signe que non.

— Elle est sourde. Elle a un appareil mais quand elle est chez elle, elle baisse la puissance pour économiser la pile...

J'ai un geste de découragement et je boite dans la cuisine. J'ai besoin d'un verre.

Le glaçon tinte agréablement et, après un peu de

rangement, je retourne dans la chambre avec mon whisky. Le vieux Perrot n'a pas bougé.

— Elle ne répond pas, elle doit regarder la télé. Ce soir, elle a son émission, « Le monde du silence » ou quelque chose comme ça... Ça se passe sous la mer... Vous, vous n'avez pas la télé ?

Le combiné toujours à l'oreille, il cherche un poste du regard. Je le renseigne avant qu'il ne se mette à fouiller :

— Elle est à côté.

Sa maigre figure s'éclaire :

— Ah ! dans votre salon.

— Non, dans mon garde-meuble, dans un carton. Je ne l'ai pas déballée.

— À côté, c'est un garde-meuble ?

J'acquiesce et ses yeux larmoyants paraissent soulagés.

— Un garde-meuble... Je me disais aussi que je ne vous entendais jamais boiter dans cette pièce-là. Ailleurs, je peux vous suivre à l'oreille, le couloir, la cuisine, la chambre. Tac-toc, tac-toc, tac-toc... ça sonne toujours.

— Monsieur Perrot, si votre numéro ne répond pas, vous récupérez vos épluchures et vous sortez un moment. Je voudrais prendre une douche.

Il opine de son menton en galoche.

— La douche aussi ça fait du bruit... non, elle ne répond pas. L'émission ne doit pas être terminée.

Il raccroche en soupirant.

— Monsieur Déveure, est-ce...

Une quinte l'empêche de poursuivre. Sous son pyjama, son corps d'oiseau se casse en deux, la cage thoracique en agonie, les yeux hors de la tête. Dans cette position, le sarclage dure un peu, puis Perrot réussit à reprendre son souffle.

Il se redresse, la figure congestionnée. Une dernière toux et il sort de sa poche un mouchoir de lépreux.

— Je... je voudrais vous demander si... est-ce que je peux attendre ici... pour retéléphoner dans un moment... enfin, pas sur le palier...

Il me la joue épaules voûtées et yeux en pleurs. Je n'avais de toute manière pas l'intention de le jeter dehors.

— Attendez dans la cuisine. Je vous appellerai.

Son sourire dégage avec générosité ses débris dentaires.

— Vos épluchures.

Ma voix est moins aimable. Il prend son sac comme un voleur et disparaît vers la cuisine.

Quelques instants plus tard, je repose mon téléphone avec un juron. Aucune nouvelle de Cauchart. Le promoteur semble s'être volatilisé et ni lui, ni la voiture n'ont été repérés. Le pire est que je ne peux m'en prendre qu'à moi-même. Sous-estimer les réactions d'un suspect est digne d'un policier stagiaire et d'un planton débutant.

Dans la salle de bains, je retire ma chevillière. Dessous, la chair est violacée, couturée de cicatrices. Les balles ont haché l'articulation comme une tronçonneuse et les multiples opérations boursouflé un peu plus peau, tendons et bouts d'os. Maurice Albertin réapparaît un instant devant moi. Le petit braqueur fait feu pour la millième fois et pour la millième fois un coup de fouet m'envoie rouler dans le caniveau.

La douche me délasse sans me changer les idées. L'eau ne peut rien. La douleur reste là, et je me tiens comme un héron sur le bac glissant, laissant ma jambe gauche supporter mes quatre-vingts kilos.

Une fois sec, j'attrape une pommade et je commence les soins. Il faut être patient : massage, bandage, cachets. Le programme est toujours le même, aussi monotone qu'un séjour en prison, aussi lancinant. La différence est que j'ai pris perpète et que le petit Maurice va bientôt sortir. Pas certain que j'accepte de le laisser courir. Cachets.

Je retourne dans la chambre en tenue de nuit, et je me souviens de Perrot.

— Venez essayer votre téléphone.

Dans la cuisine, le vieux se lève en sursaut. Il balbutie un remerciement et se précipite en glissant sur ses mules. Pas assez vite. La sonnerie retentit et je décroche avant lui.

— Déveure ?

La voix enchaîne :

— Bonin à l'appareil. Je suis devant la maison Cauchart et un type répondant au signalement du promoteur vient de rentrer dans la villa.

Mon pouls s'accélère.

— Comment est-il ?

— Grand, blond, avec un ciré jaune.

Je pousse un soupir de soulagement.

— Ne faites rien, j'arrive.

— Heu... et si le type sort de la maison ?

— Vous l'interpellez.

Bonin tente une objection :

— C'est que je suis seul.

— Vous l'interpellez seul.

— Bien compris.

La voix comme un drapeau en berne. Je raccroche puis je commande un taxi. Ensuite, je retourne en vitesse dans la salle de bains.

— Monsieur Déveure...

C'est le vieux. Je lui crie en commençant à me rhabiller.

— Allez-y ! Faites votre numéro !

Quand je ressors, il est toujours au téléphone. Il me fixe avec un regard désespéré, se dandinant d'un pied sur l'autre. Son sac-poubelle a retrouvé mes papiers.

— Ça ne répond toujours pas, Monsieur Déveure... Je ne comprends pas, je vais appeler chez sa fille...

J'approuve.

— Claquez la porte en partant, je n'ai pas le temps d'attendre.

— Monsieur Déveure !

Je suis déjà dans le couloir.

UNE 205 BLANCHE a remplacé la Renault. À l'intérieur, une ombre en blouson se tient devant le volant, un coude à la fenêtre. Une radio fonctionne en sourdine, quelques voyants allumés piquent le tableau de bord.

— Alors ?

— Alors, rien, répond Bonin à voix basse ; le type n'est pas ressorti. Enfin, je ne pense pas... ça n'arrête pas d'aller et venir.

Devant chez les Cauchart, les voitures encombrent la rue, certaines garées sur le trottoir, d'autres en double file. Dernière arrivée, une fille blonde claque la portière d'un petit break et rejoint l'entrée en courant sur la chaussée.

Bonin soupire :

— Elle doit être attendue...

La maison est éclairée comme un sapin, et une musique lourde et syncopée arrive jusqu'à nous. En rythme, les éclairages du salon changent d'intensité, passent du bleu au vert, se coupent de blanc, de jaune, puis se transforment pour quelques secondes en éclairs de flash. Des cris montent, reprennent un refrain.

— On dirait que ça chauffe, commente encore Bonin.

Dans la rue, une voiture passe le virage à vive allure et nous prend un instant dans ses phares. Puis elle nous dépasse et freine brutalement devant l'entrée.

— Et ça continue, maugrée le policier.

Trois jeunes descendent de la Golf. Ils s'interpellent bruyamment en montrant la maison.

Je me décide.

— Je vais tâcher de le trouver. Restez là.

Il est plutôt d'accord.

Je me glisse au milieu des autos et j'emprunte l'allée menant au perron. Assis sur les marches, ils sont quatre. Une brune fait partie du lot. Vêtue essentiellement d'un collant noir et d'un blouson en cuir, elle a aussi des dock-sides aux pieds, un modèle qui n'est pas sans ressemblance avec ma chaussure médicale.

Jolie, elle fume en prenant des poses, ses trois prétendants à l'écoute.

— Sandrine Cauchart est par là ?

Un jeune à cheveux courts et pantalon blanc m'indique l'autre côté de la maison.

— Elle était près de la piscine il y a cinq minutes.

Côté jardin, après une terrasse et quelques mimosas, la piscine concentre l'animation. Des projecteurs illuminent le bassin et les lampadaires balisent la plage. Là, un buffet a été installé. Un petit groupe campe près des plateaux, un autre, une assiette ou un verre à la main, se tient entre la cantine et le salon. Deux enceintes sonorisent le lieu et permettent à cinq contorsionnistes de suivre le tempo à deux pas du plongeoir. Sur ce dernier, un jeune s'est allongé, blazer ouvert, cigarette en bouche.

Il contemple les étoiles avec, d'après moi, une bonne chance de finir à l'eau.

— Je cherche Sandrine.

Les deux tourtereaux s'arrêtent. Le mâle a une queue de cheval, un pantalon en lin et un gilet de cafetier. La femelle est une petite rousse aux cheveux bouclés, à la robe en satin rouge.

— Sandrine ? Connais pas.

Il répond pendant qu'elle me détaille. Peu impressionné, je rends son regard à la rouquine. Joli décolleté.

— Vous êtes pourtant chez elle.

Cette fois, elle glousse et lui fait la moue.

— Possible, mais on zappe. C'est nullissime comme plan.

Ils s'éloignent après un petit signe. Je reste encore quelques instants à tourner autour de la piscine puis je me dirige vers le salon.

Il faut s'habituer. Dans la pièce, casquette en arrière, le gars de la sono s'amuse avec ses boutons. Un synthétiseur hulule à me déchirer les tympans et une batterie martèle un vaudou hystérique.

Je cherche Sandrine du regard. Au milieu de la piste, ils sont toute une équipe à profiter du marbre pour s'agiter les membres. Je repère quelques excités, un grand maigre à bec d'oiseau, un petit qui tape des mains, une fille qui suit des hanches, une grosse qui saute sur place. Dans un coin, une blonde avec un cuissard de cycliste assure le spectacle : accrochée à une enceinte, elle se laisse vriller le cerveau par les aigus du tweeter. Ses cheveux lâchés tournent en ventilateur et sa poitrine tressaute sous un tee-shirt blanc.

— Elle vous branche ?

Sandrine Cauchart s'est collée à moi. Ses cheveux bruns sont ramenés en arrière et ses grands yeux violets brillent dans les lumières.

Je me penche à son oreille et je crie :

— Elle va devenir sourde.

— Et vous aveugle.

La jeune fille se met à rire. Elle me tient le bras et suit les mouvements de la blonde. Derrière celle-ci, un danseur à la chemise trempée est en phase d'approche.

— Venez. Je dois vous parler.

Elle hausse les épaules, mais accepte de sortir.

Après le salon, l'air frais de la terrasse sent bon le bord de mer. Sandrine s'est arrêté devant la piscine et regarde distraitement les reflets de l'eau bleue. Elle porte une courte robe noire, aux pieds des ballerines en cuir. Ses bijoux sont classiques : un collier de perle, de petites boucles d'oreille et deux bracelets en or.

— Votre père est ici, n'est-ce pas ?

Elle se contente de sourire, les yeux sur le bassin. À part nous, deux adolescentes restent sur cette rive, se chuchotant des confidences dans des sièges de jardin.

— J'aimerais que vous lui demandiez de repartir avec moi, mademoiselle Cauchart. Cela serait plus raisonnable.

— Sinon ?

Elle s'est déchaussée et trempe son pied nu avec précaution. Elle a de jolies jambes, lisses, droites, parfaitement musclées.

— Sinon je serais obligé d'interrompre votre fête pour faire fouiller la maison. Ce serait dommage.

Elle secoue la tête.

— Dommage et nul. Mon père n'est pas là.

Mon regard part sur la maison, les fenêtres éteintes de l'étage, la cage d'escaliers brillamment éclairée. Dans le salon, le disque change et une soupe à base de rap se déverse vers la piscine.

— Mademoiselle Cauchart, la maison est surveillée et votre père a été vu lorsqu'il y est entré.

— Il avait sans doute son ciré jaune...

Je la dévisage sans comprendre. Elle se met à rire et retire son pied de l'eau.

— C'est Jean-Philippe. Il ressemble vachement à mon père et je lui ai filé un ciré. Vous n'avez pas marché, vous avez couru !

Elle a un air de gosse qui vient de réussir son poisson d'avril.

— Ça ne vous fait pas rire ?

J'ai un sourire jaune.

— Si, beaucoup... vous devriez quand même garder vos plaisanteries pour vos petits amis. Surtout en ce moment...

— Mais...

Je la laisse et je retourne dignement vers la maison. Mon sens de l'humour doit baisser avec la nuit. À moins que cela soit mon moral.

Je commence ma visite par les pièces du bas. Je poursuis en descendant au garage puis dans une buanderie suivie d'un atelier, d'une cave, d'une petite armurerie où quatre fusils de chasse s'alignent dans un râtelier.

Partout, j'ouvre des placards, je soulève des caisses, je déplace quelques planches. Pour rien.

Je remonte au rez-de-chaussée et j'emprunte le grand escalier. Sur les marches, une fille glousse avec un boutonneux, et une blonde trop forte observe mon ascension avec un beau regard de vache.

À l'étage, j'emprunte un couloir décoré de palmiers en pots et de gravures de chasse et je pénètre dans une première chambre.

— Qu'est-ce que vous foutez là ?

Ils sont cinq, trois garçons et deux filles. Vautrés sur le lit, ils font circuler un joint, l'allure recueillie, les yeux dans le vague. Un des fumeurs est Mathieu, le jeune éphèbe au joli minois. Il a dans ses bras la blonde en cuissard. Je ne connais pas les deux autres, une nymphette qui a les cuisses à l'air et un petit blond en chemise cravate dont la grosse tête repose sur le ventre de la fille. Le dernier du club se tient assis à une table. C'est un adolescent en blazer qui joue les Carmen, une rouleuse dans les doigts. Devant lui, quatre pétards attendent patiemment de partir en fumée et une bouteille de whisky se ventile, bouchon disparu.

Une odeur âcre s'élève du fumoir et une lampe tamisée fignole l'ambiance.

— C'est qui, ce vieux con ?

J'allume le plafonnier.

— Un type qui veut son lit. Dehors tout le monde.

Il y a des protestations et une voix fluette se détache du chœur :

— Cool, papa, casse pas l'ambiance... le spot est à personne...

— Tu veux une torgnole ?

Le silence suit ma question. Je laisse un temps puis je tape dans les mains.

— Bon, maintenant, on dégage la zone ou c'est moi qui évacue. Compris ?

La nymphette redresse la première ses treize ans. Elle rajuste sa jupe et se met debout en titubant, la figure verte. Le blond suit avec un sourire niais puis Mathieu lève le camp à son tour.

Le rouleur en blazer quitte son établi.

— Ça va... on faisait rien mal...

— Rien de bien non plus. Donne.

Il ne résiste pas. Il se contente de soupirer et les joints encore intacts se posent un à un dans ma main tendue.

Je ne change pas de position.

— La suite.

Cette fois, une grimace déforme ses traits fins. Je sens qu'il hésite et je crois utile de préciser :

— Tu vides tes poches ou c'est moi qui le fais. Et je manque de douceur pour déshabiller les garçons.

Du coup, il accélère. Je récupère la rouleuse, des feuilles Job et une barrette de haschisch dans du papier d'aluminium.

Je lui montre le couloir.

— Maintenant, tu rentres chez toi.

Ses yeux aux cils de biche ne cachent pas ce qu'il me souhaite. Il quitte néanmoins la chambre et file par le couloir.

La jeune blonde se présente à son tour. Elle marche avec lenteur, ses chaussures à la main.

À la porte, elle marque un temps d'arrêt et me fredonne en souriant.

— « Sweet, oh sweet, my heart and your heart for a love for my love, Sweet, so sweet... »

Elle me lance un baiser et s'éloigne en chaloupant des hanches.

— Si vous voulez fouiller ma chambre, c'est la porte du fond.

Dans le couloir, Sandrine me toise, poings sur les hanches.

— Vous ne me croyez pas, pour Jean-Philippe ?

— Mon métier n'est pas de croire mais de vérifier.

Je vais visiter votre chambre et ensuite, vous me montrerez le grenier. Après, j'irais voir votre Jean-Philippe. Pardon...

Je l'écarte doucement.

Le lit est surmonté d'un baldaquin rose à fils dorés. Au mur, sur le papier vichy, une affiche de concours hippique et des posters de chevaux dominent un bureau encombré de livres de classe. Un emploi du temps est punaisé devant la table et des agrandissements montrent Sandrine à cheval, à la plage, au bord de la piscine. Plus haut, Bruel m'adresse un sourire racoleur et un groupe de rappeurs pose sur des poubelles.

— Les « VTS », vous connaissez ?

— Pas personnellement...

Longeant les deux fenêtres, je boite vers le cabinet de toilettes. La pièce est en fait une vraie salle de bains avec baignoire, douche et lavabo double vasque. Traité en rose et blanc, peignoir et serviettes assortis, l'endroit sent bon le savon et l'eau de Cologne.

— Vous avez bien regardé dans la baignoire ?

Je la considère pensivement. La jeune brune s'est assise sur le lit et se masse une cheville en découvrant ses cuisses. Ses yeux violets me fixent avec inquiétude, mais ses lèvres épaisses tente un sourire bravache.

— Vous devriez retourner jouer en bas. Vos amis vont s'impatienter.

Elle s'assombrit.

— Je voudrais qu'ils partent.

— C'est vous qui les avez invités.

Elle hausse les épaules et se lève du lit.

— J'aurais dû tout annuler. Ils me prennent la tête.

Je boite vers la porte. Au rez-de-chaussée, la musique

continue de faire vibrer les murs. De loin en loin, un rire plus perçant arrive jusqu'à la chambre.

— Qu'est-ce qu'il a fait, mon père ?

Je m'arrête sur le seuil.

— Il est ici ?

Elle secoue lentement ses mèches brunes.

— Non. Qu'est-ce qu'il a fait ?

J'ai un soupir las.

— Il est soupçonné de meurtre, mademoiselle Cauchart. De malversations financières et de meurtre.

Elle n'a pas le temps de réagir. Un hurlement monte d'une pièce voisine.

— Maman !

Je suis déjà dans le couloir.

J'ouvre la porte à la volée. La mère de Sandrine est couchée en travers du lit. Elle se tient le ventre des deux mains et pétrit sa chemise de nuit comme si elle était en feu.

— Maman !

Livide, la jeune fille veut se précipiter. Il y a mieux à faire et je la retiens.

— Appelez son médecin, vite !

— Mais...

Je crie :

— Appelle son médecin !

La jeune fille part en courant et j'allume le plafonnier. Des détails sortent de l'ombre, les fleurs des rideaux de satin, les photos posées sur une commode, les angelots d'une glace en bois doré.

J'arrive juste à temps près du lit. Thérèse Cauchart bascule sur le côté et manque de tomber.

Je l'attrape par les épaules.

— Doucement...

Je tente de la recoucher, soulevant ses jambes maigres. Sa réaction est violente. Elle se débat, hurle comme une bête torturée.

— Calmez-vous, madame Cauchart.

Elle n'est plus en état d'être raisonnée. Ses yeux s'arrondissent, un cri étranglé sort de sa bouche. Puis un spasme la plie en deux et elle se met à vomir comme d'autres se noient.

— Qu'est-ce qui se passe ici ?

Bonin vient d'entrer en se tenant le crâne. Il découvre la scène sans comprendre, les yeux ronds, l'air abruti. Les explications seront pour plus tard. Thérèse Cauchart s'étouffe et d'un doigt brutal, je dégage sa bouche. Elle tousse, s'étrangle, vomit de nouveau. Je la penche en avant, maintenant son cou décharné, tenant son menton secoué par les nausées.

Après quelques hoquets, elle se calme enfin et je l'écarte un peu des draps souillés.

— Qu'est-ce qui se passe ? répète le gendarme.

— Dégagez le drap sous elle. Allez chercher de l'eau.

Il hésite, comme incapable de réfléchir.

— C'est contagieux ?

— Le drap, Bonin !

Il sursaute et se penche de mauvaise grâce. Thérèse Cauchart gémit, les yeux fermés, les mains de nouveau crispées sur son ventre.

— Voilà, c'est mieux...

Doucement, je la recouche sur l'alèse. Je dégage un peu ses cheveux, contemplant un instant le visage de cette femme. Des joues creuses, un nez un peu fort, et sous l'arc brun des sourcils, d'immenses yeux violets à l'expression hébétée. Plus jeune que son mari, Thérèse Cauchart n'a pas cinquante ans.

Dans la salle de bains, je trouve ce qu'il me faut : une grande serviette éponge dont je mouille la moitié.

— Je voulais vous dire...

— Plus tard, Bonin, venez m'aider.

Il blêmit.

— Vous allez la laver ?

— Vous pensiez que c'était pour vous ?

— Non, mais...

Je le pousse vers la chambre.

— Tenez-la.

J'entame la toilette de Thérèse Cauchart et Bonin en profite :

— J'étais venu vous prévenir qu'on m'a agressé par derrière. Un coup de matraque.

— Un coup de matraque ?

Il grimace, montre sur l'arrière de son crâne, une sorte d'œuf velu.

— Là... J'ai perdu connaissance... Je ne sais pas combien de temps. Je viens de me réveiller.

— Tenez-la. Vous n'avez rien vu, rien entendu ?

Il baisse piteusement la tête.

— Non, rien.

Je continue d'essuyer la figure de la mère de Sandrine, son cou, ses mains. C'est inutile de s'énerver. Si le promoteur est passé chez lui, il doit être reparti depuis longtemps. Quand est-il venu ? Lorsque j'étais près de la piscine avec sa fille ? À l'étage avec sa femme ? Et pourquoi a-t-il pris un tel risque ?

— Aidez-moi à la changer. Ensuite, vous descendrez à la cave. Il y a un râtelier avec des fusils de chasse. Comptez-les.

— Comment va-t-elle ?

Un petit homme chauve et rondouillet fait irruption dans la chambre. Il porte un costume gris, un nœud papillon bleu, et sa mallette ne laisse aucun doute sur sa profession.

Il s'annonce quand même :

— Docteur Marceau, je suis le médecin de Mme Cauchart.

Je me présente à mon tour et je précise ce qui s'est passé vingt minutes plus tôt. Il a un soupir fataliste.

— Comme d'habitude... Jérôme n'est pas là ?

Mon regard trouve celui de Sandrine. La jeune fille s'est arrêtée au pied du lit, le visage décomposé.

Je reste vague.

— En déplacement.

— Tant pis. Maintenant, si vous voulez sortir, je vais l'examiner et lui faire une piqûre.

Le médecin enlève sa veste et ouvre sa mallette. Ses gestes sont rapides, précis.

— Toi aussi, Sandrine. Allez, rassure-toi. Ce n'est pas sa première crise, ni sa dernière... Préviens plutôt ta grand-mère...

Dans le couloir, la musique nous reprend comme une mauvaise migraine. Des « hourras ! » retentissent, une voix parle dans un micro, annonce le nom d'un groupe.

La jeune fille ferme les yeux.

— Je veux qu'ils partent...

Elle se tourne contre la cloison et tape brusquement du poing.

— Vous entendez ? Faites-les partir ! Tous !

Elle pousse un cri hystérique. Je la prends par les épaules, l'empêche de refrapper le mur. Elle se dégage brutalement.

— Foutez-moi la paix !

Bonin remonte au même moment.

— Trois fusils.

Moins un. Je réfléchis vite.

— On ferme le bal, Bonin. Ensuite, on file à *La Pagode*.

Une demi-heure plus tard, la 205 s'engage rue des Vignes. Le portail fermé de *La Vigie* apparaît quelques secondes dans les phares, puis les murs en mauvais état de la propriété le remplacent. Bonin ralentit, tourne dans la ruelle en pente.

Aux abords de *La Pagode*, une seule voiture est garée. Une Peugeot verte.

— C'est Casuel.

La 205 s'arrête et je descends péniblement. Le Casuel en question est déjà sorti et vient à ma rencontre. C'est un blond à l'allure sympathique, à la veste chiffonnée. Ses traits restent dans la pénombre mais ses dents accrochent bien la lueur des phares.

— Rien à signaler. C'est mortel, ce coin.

Mon regard englobe les toits de *La Pagode*, les fenêtres sans lumière, la lanterne éteinte de la porte. De chaque côté de la maison, les arbres du jardin forment une masse sombre qu'un léger vent peine à animer.

À ma droite, Bonin commente :

— Je préfère encore surveiller l'autre baraque... Une fête, même ratée, c'est mieux que ce temple.

Casuel approuve de la tête, observant à son tour la ruelle.

— Le plus dur, c'est de ne pas s'endormir. J'ai vu un chat, tout à l'heure, et une chouette aussi. À part ça...

Je les laisse et je vais sonner à *La Pagode*.

Il faut un bon moment pour que la lanterne s'allume. La voix ensommeillée de Viviane Ocelli sature ensuite l'interphone.

— Qu'est-ce que c'est ?

J'explique en gros la raison de ma visite et la réaction de la veuve est sans surprise :

— Vous vous moquez du monde inspecteur ? Vous me réveillez uniquement pour savoir si je suis vivante ?

Les parasites s'ajoutent aux aigus et la voix résonne dans la ruelle.

Je me penche à nouveau sur l'appareil.

— Pour vous avertir également que Jérôme Cauchart est armé, madame Ocelli. Il a récupéré chez lui un de ses fusils de chasse.

— Et alors ? Vous me prenez pour une poule faisane ? De toute manière, je suis aussi armée. J'ai un pistolet à grenaille et je sais m'en servir. Le rat musqué enterré dans le jardin pourrait vous en parler. Bonne nuit, inspecteur.

Je n'ai pas le temps d'ajouter quoi que ce soit. La lanterne s'éteint et le perron se retrouve dans la pénombre.

Après un soupir, je retraverse la ruelle.

— Sacré numéro, commente Casuel.

— Il vaut peut être mieux l'entendre que la voir, ajoute Bonin ; elle ressemble à quoi ?

— Garbo dix jours après sa mort... Casuel, vous continuez la surveillance de *La Pagode*. Bonin, vous m'accompagnez à Seilans. Après, vous retournerez devant le domicile du promoteur.

Je rejoins la 205 en claudiquant. Il reste encore quelqu'un dont je dois vérifier la protection. Ensuite, je pourrai dormir et tâcher d'oublier cette journée.

— Déveure !

Youssef débloque la porte de l'hôtel avec des gestes fébriles. Le Tunisien est en djellaba verte, et ses babouches dorées brillent dans le clair-obscur. Ses mèches s'éparpillent sur son crâne et, à cette heure, une barbe bleu pétrole complète sa moustache.

— Entre vite !

Il écarte sa bedaine pour me laisser passer. Ses petits yeux s'attardent un instant sur la rue déserte puis il referme à double tour.

— Elle est toujours là, Youssef ?

Le Tunisien s'immobilise brusquement.

— Comment, « toujours là » ? Bien sûr, qu'elle est « toujours là ». Tu crois que je suis incapable de garder une femelle trois nuits de suite ?

J'ai un geste apaisant.

— Je ne crois rien, mais monte quand même vérifier si elle est vivante.

Il me toise, le menton haut, le ventre en avant.

— Mais c'est l'évidence, qu'elle est vivante. Meskine de moi ! Je n'ai pas pour habitude de garder les morts.

— Je ne dis pas cela, Youssef. Je te demande simplement de monter vérifier.

Le Tunisien secoue la tête avec tristesse.

— D'accord, je monte. Je monte mais tu me déçois beaucoup... beaucoup...

Il se dirige vers le petit escalier en marmonnant. De mon côté, je boite vers la banquette du hall et je m'installe avec un soupir de soulagement. Au bout de ma jambe, ma cheville est un abcès gorgé de synovie.

— Ta Jaune ronfle comme une vache. Tu es content ?

Je me redresse avec peine. Youssef s'approche, soudain inquiet.

— Tu vas bien ? Tu es plus pâle que du lait de chamelle.

— Ça ira... Je suis fatigué et ma cheville me travaille. Je crois que je vais dormir un moment sur ta banquette. Je rentrerai plus tard.

Il écarquille ses petits yeux de myope.

— Sur ma banquette ! Mais c'est un hôtel ici ! J'ai des chambres vides !

— Jusqu'à quelle heure, Youssef ?

Il grimace.

— Midi, midi et la demie. Ils font gardiens aux entrepôts, on s'arrange... Mais si tu veux, je te donne mon lit. J'ai commencé la nuit, tu peux la finir.

— Merci, Youssef, la banquette sera très bien. Par contre, donne-moi quelque chose à boire.

Son sourire réapparaît.

— Tout ce que tu voudras... un thé à la menthe ?

— Avec un grand whisky.

Le Tunisien éclate de rire.

— Avec un grand whisky ! Déveure, tu n'as pas la politesse mais tu as l'humour ! Ah ! ah ! avec un grand whisky !

Il s'éloigne vers son comptoir, gloussant comme un dindon.

— Avec un grand whisky !

MA MONTRE INDIQUE neuf heures quand je retrouve mon immeuble. Je n'ai pas pu éviter le thé et les beignets de Youssef mais je me sens quand même mieux. Je boite normalement et mon tonus me permet de garder les yeux ouverts. C'est déjà ça.

Ma porte claque et une ombre maigrelette bondit hors de ma cuisine.

— Monsieur Déveure !

Le vieux Perrot brandit un doigt menaçant. Son souvenir me revient comme un retour d'ulcère.

— Mais vous êtes encore là ? Vous n'avez pas téléphoné ?

— Justement, monsieur Déveure, parlons-en, parlons-en !

Il a toujours son pyjama lie-de-vin, ses pantoufles aux pieds. Sous ses mèches blanches, sa tête d'oiseau mort s'est piquetée de poils.

— Je vous attendais. Je n'ai pas réussi à joindre Mme Riom, ni sa fille, et j'ai passé la nuit dans votre cuisine. Est-ce que vous trouvez cela normal ?

Je le repousse et je boite vers la chambre en dénouant ma cravate. Il me suit comme une mouette un levé de chalut.

— C'est bien vrai que vous n'avez pas d'horaires, monsieur Déveure. Il est plus de 9 heures ! Vous n'avez pas d'horaires et vous n'avez plus de café. Je n'ai même pas pu prendre mon petit déjeuner.

— Désolé. J'ignorais que j'avais un invité.

J'enlève ma veste et je prends dans mon placard de quoi me changer. Le vieux Perrot ne désarme pas. Il me course jusqu'à la salle de bains.

— Mais vous auriez pu rentrer plus tôt ! J'étais dans votre cuisine et connaissant votre caractère, je n'ai pas osé en sortir. Une nuit dans une cuisine, à mon âge !

Je rouvre la porte que j'allais lui fermer au nez.

— Une nuit dans une cuisine, c'est mieux qu'une nuit dehors, monsieur Perrot. Maintenant, appelez un serrurier et dites-lui d'ouvrir votre porte. Sinon, c'est moi qui ferai sauter le verrou ! Compris ?

Sa mâchoire distendue lâche un filet de bave et je claque le battant.

La douche me calme un peu, puis je passe au rasage. Sans vraiment réfléchir, le cerveau encore douloureux du tam-tam de la soirée, le dos courbaturé par ma nuit de banquette.

La sonnerie du téléphone résonne dans la chambre. À la suite, les glapissements du vieux me valent une coupure.

— C'est pour vous ! La police !

Je me précipite, une serviette autour des reins.

— Dépêchez-vous. Ils ont l'air pressé.

Debout à mon bureau, Perrot me tend le combiné en détournant les yeux.

— Vraiment, vous auriez pu vous habiller, monsieur Déveure.

À l'appareil, une voix à l'accent de Marseille se manifeste :

— Faninoti, de la PJ. C'est votre père que j'ai eu, inspecteur ?

— Son fantôme. Que se passe-t-il, Faninoti ?

— Nous avons eu un appel du commissariat du VII^e, inspecteur. Un assassinat dans un hôtel...

— Où ça ?

— Attendez, je cherche l'adresse...

Pendant ce temps, je ferme les yeux en espérant un miracle.

— Au 16, rue des Fabriques, inspecteur. Un certain Youssef Menetktoum a demandé à ce qu'on vous prévienne. Il a été blessé, je crois... Le commissaire est déjà sur place.

Mon silence dure un peu et Faninoti s'inquiète :

— Inspecteur ? Vous êtes toujours là ?

Je soupire :

— Plus pour longtemps.

La rue des Fabriques connaît son jour de gloire. L'attroupement déborde largement sur la chaussée, encercle le car de Police secours, l'ambulance du Samu, une 4L de pompiers. Des voitures de la PJ aux gyrophares tournoyants s'alignent en double file et, de l'autre côté, sous le pont, je reconnais le break de Gallot et la petite Renault de Carelon. Moins discrète, la moto de Billard attire une douzaine d'Arabes.

Mon adjoint manœuvre avec difficulté.

— Ils n'ont vraiment rien à foutre.

— C'est dimanche, Granier.

Je me fraye un passage jusqu'à l'entrée de l'hôtel, écartant des burnous, des djellabas, quelques costumes mauves. Un grand Noir m'adresse un sourire angélique, une femme voilée baisse les yeux sur son jean.

J'écarte un dernier dos et je décline mon identité au gendarme en faction.

— Ils sont au deuxième, inspecteur.

Pas vraiment une surprise.

— Le voisinage, Granier.

Mon adjoint hoche la tête et je pénètre dans l'hôtel.

Dans le hall, un pompier discute avec les ambulanciers. Du matériel est posé dans le petit salon, des valises métalliques, une bonbonne d'oxygène, un brancard. Par réflexe, je cherche le sourire de Youssef derrière son comptoir puis j'emprunte l'escalier.

— C'est à vous que l'on doit cette réjouissance ?

Chassagne a quitté le petit groupe qui obstrue le couloir. Avec sa pipe, son costume et son nœud papillon, il ressemble à un notaire accueillant sa belle-mère.

— Je n'ai encore tué personne.

Il manque de s'étrangler.

— Encore heureux ! Mais entre ceux que vous laissez filer et ceux que vous protégez, ce n'est plus de l'enquête, c'est du grand guignol ! Sans compter les voitures ! Vous confondez Seilans et Bastia ou quoi ?

Je garde mon calme.

— Personne n'aurait pu prévoir qu'un type comme Cauchart allait tenter de s'échapper. Ce n'était ni un truand ni une petite frappe.

— Non, et elle ? C'était une communiante ?

Je change de sujet :

— Comment va Youssef ?

— L'Arabe ? Très bien ; pour une fois qu'on en trouve

un en situation régulière, il est à l'hôpital avec une fracture du crâne.

— Des témoins ?

Chassagne me toise méchamment.

— Vous plaisantez ?

Je ne réponds pas. Je boite vers la chambre, saluant Boulet et un autre policier que je ne connais pas. Il y a aussi Fayolle qui se mouche, appuyé au mur, ses cheveux blonds en éventail au-dessus de sa tête.

— Ça va, Boiteux ?

— J'ai connu mieux mais il y a longtemps.

— Moi pareil. J'ai une de ces crèves...

Je passe une tête par la porte ouverte. Dans la chambre, Gallot fait du quatre pattes sur la moquette. Il est déguisé en anesthésiste, avec une combinaison blanche, un bonnet, des bottes et des gants plastiques. Le légiste est dans la même tenue mais se tient accroupi au pied de Sue. Cette dernière gît sur le dos près du lavabo, un trou noir et sanglant à la place du visage.

Gallot me salue d'un gloussement :

— Un beau dimanche... je me demande comment tu fais pour nous gâter autant. Pas un qui se ressemble.

Côté fenêtre, Billard rembobine son appareil en surveillant sa moto. Il a son bonnet de travers et sa botte droite a déjà crevé son chausson.

Il croit utile de renchérir :

— À croire que tu travailles en zone touristique. Je te signale que j'avais arrêté les mariages pour avoir mes week-ends, moi...

Le lit est défait, la valise de Sue renversée sur le sol, la télévision par terre, la chaise démolie devant l'armoire.

— Carelon, à quelle heure est-elle morte ?

Le légiste redresse son maigre torse en se massant les

reins. La tête massacrée de l'Indonésienne apparaît en totalité.

— Pas difficile : autour de 9 heures.

— Des détails ?

Il acquiesce :

— Une balle, presque à bout portant. Tout le maxillaire inférieur est bousillé mais aussi l'apophyse mastoïde et l'occipital. Ça, sur la carpette, c'est un bout de cervelet. Autrement, non, elle n'a rien.

Sue tourne un reste de tête vers le lavabo. Ses yeux morts fixent le plafond avec indifférence et du sang poisse ses cheveux longs. Son chemisier chiffonné est ouvert sur sa poitrine et sa jupe rabattue offre au regard ses cuisses nues, son sexe intact. L'Eurasienne n'a plus de visage mais a toujours un corps. Comme quoi l'essentiel n'est pas toujours vital.

— L'arme, Gallot ?

— Un fusil de chasse, calibre 12. Une balle à sanglier, sans doute une Blondeau de 32 g.

— Des indices ?

Il se relève et me montre les sacs en plastique déjà rangés dans sa mallette.

— Pas mal de saletés... Le plus intéressant est un trousseau de clefs... avec une clef de coffre Fichet et une clef KESD, genre porte d'entrée trois points.

— Situation ?

Il s'essuie le nez avec le dos de son gant, observe le corps.

— Près de la poubelle renversée, caché par des vieux cotons... Je t'ai marqué les références des clefs.

Il me tend un papier.

— Des empreintes ?

— Plus qu'à Lascaux.

Billard rigole et je retourne dans le couloir. Une

silhouette massive en veste de cuir m'arrache une grimace.

— Salut, Boiteux.

Sourire aux lèvres, Bornalin s'avance la main tendue. Je garde les miennes dans les poches.

— Qu'est-ce que tu fais là ?

L'inspecteur des RG se renfrogne et désigne Chassagne.

— Demande à ton chef.

Le commissaire soupire :

— Vocker a demandé à ce que l'inspecteur Bornalin soit associé directement à l'enquête. Il travaillera avec Fayolle.

— Fayolle ? Il est en charge de l'enquête ?

Le divisionnaire hoche la tête :

— Parfaitement. Son service traitera les trois dossiers en même temps : Larget, Cauchart et Hitobé. J'en ai assez de votre travail en voltigeurs. Avec Granier, vous allez intégrer l'équipe de Fayolle et poursuivre l'enquête sous ses ordres... Fayolle ! Lundi matin, vous irez chez le juge avec Bornalin pour remettre au clair cette histoire. En repartant de Larget.

Le nez rouge, Fayolle se rapproche en fronçant les sourcils :

— Qui est Larget ?

— L'inspectrice des Impôts ! La noyée de la Bièvre ! Vous débarquez ou quoi ? glapit Chassagne. On l'a repêchée ficelée comme une momie, égorgée et à moitié bouffée par les poissons !

Le policier hausse les épaules avec indifférence et ressort son mouchoir.

— J'avais oublié son nom.

— Prenez du Totus si vous avez des trous de mémoire, ergote Chassagne ; j'aimerais que dans cette PJ que je dirige, les... Déveure ! Où allez-vous ?

Je m'arrête au milieu du couloir.

— Chez moi. Je rentre.

— Et les dossiers ?

J'ai un geste rassurant :

— Vous les aurez avant mon départ en vacances.

— Des vacances ? Quelles vacances ?

— Les miennes. J'ai d'ailleurs tellement de jours à rattraper que si j'ajoute encore ce week-end, j'arrive à l'année sabbatique. À demain.

Granier me rattrape au rez-de-chaussée. On ressort difficilement de l'hôtel et, malgré le quartier, on retrouve la voiture avec ses quatre roues.

— Le voisinage, Granier ?

— Ils sont au moins trois à avoir vu la BMW. Elle s'est garée devant l'hôtel un peu avant 9 heures D'après les témoignages, elle n'est pas restée plus de cinq minutes. Le type était seul.

— Ils n'ont pas entendu le coup de feu ?

Il soupire, tapote son carnet.

— Peut-être, peut-être pas. Ils disent qu'il y a beaucoup de bruit avec le périphérique. Ils ont cru à un pot d'échappement, un pétard de gosse... En fait, ils sont assez contents que ton copain Youssef se soit fait taper dessus. Il n'est pas très aimé dans le quartier et, à la limite, ils regrettent que ce ne soit pas lui le mort.

— Je sais. Il y a un mois, ils ont déjà essayé de faire sauter son hôtel. Le type de la voiture ?

Il relit ses gribouillis :

— Pour Salim Sassoyan, il est grand, avec un ciré jaune et des cheveux bruns. Pour Abdel Kelim, il est blond et gros avec une veste orange. Pour Mustapha

Heslamout, il est grand, très costaud, avec une casquette sur la tête et un imperméable peut-être jaune, peut-être rouge. Pour les trois, il avait un sac noir à la main.

Je réfléchis quelques instants puis je lui fais signe de démarrer.

— À l'hôpital, Granier.

Le soleil illumine Grévale. En façade, de nombreux stores sont descendus et les baies vitrées positionnées pour évacuer les microbes. Les normales saisonnières doivent être dépassées et certains malades profitent de la météo. À droite du bâtiment, sur un coin de terrasse, six hospitalisés en fauteuil goûtent une séance de rayons pour une fois naturels.

— Appelle Sarton, Granier. Qu'il te procure discrètement les appels passés depuis l'hôtel de Youssef ce matin. Qu'il mette aussi *La Pagode* et la maison de Cauchart sur écoute.

— Tu as les autorisations ?

— Je les aurai après le coupable.

On se sépare dans le hall. Un peu partout, de nouvelles banderoles ont été déployées et des tracts jonchent le carrelage : « Hôpital en grève », « Hôpital sous perfusion », « Malade mal soigné = contribuable mort », « De l'argent, pas des calmants ! », etc.

À l'étage des soins intensifs, la grève raréfie le personnel. Un agonisant ne m'est d'aucun secours et je cherche un moment avant de trouver un valide en blouse blanche. Sèchement énoncées, ses indications me renvoient en bout de couloir : la 033.

La chambre de Youssef est libre d'accès. J'ouvre silencieusement le battant et j'entre dans une pièce à la luminosité réduite.

Dans son lit, le gros Tunisien geint comme un chien kabile. Des potences l'encadrent mieux que des palmiers et un peu d'électronique veille sur sa sieste. Une djellaba mauve est pendue à un cintre et une paire de babouches patiente sous un fauteuil. Sur ce dernier, un tapis de prière est roulé en attendant le muezzin.

Son pansement donne au Tunisien un air de méhariste affrontant la tempête.

— ... C'est toi ?

La voix est grumeleuse. En même temps, l'hôtelier lève avec peine une main toujours baguée d'or. Sur la tablette, des dattes et de la pâte d'amande entourent une tasse à thé bleu, rouge et doré.

— Qu'est-ce qui s'est passé, Youssef ?

— *Molkhan jeldi*... je suis mort...

— Qui t'a frappé ?

Un éclair de colère brille dans ses yeux sombres :

— La Jaune d'abord... et puis un autre après...

— Sue en premier ?

Il s'énerve :

— Oui, et après un autre chacal... pourriture ! Pfutt !

Il essaie de cracher mais s'étrangle à moitié. Il met un peu de temps à retrouver son souffle.

Je m'assieds à son chevet.

— Cela s'est passé dans la chambre, Youssef ?

— Quand tu es parti... Je... je lui ai monté son petit déjeuner et elle m'a assommé avec une chaise... Je te jure ! Je vais la retrouver et je lui montrerai que rien ne gonfle aussi bien qu'une charogne !

— Ensuite ?

Le Tunisien gémit, agite sa tête enturbannée.

— Ensuite, je me suis réveillé... Ils étaient en bas, j'ai entendu parler. Je me suis traîné dans l'escalier mais c'était noir. Je suis tombé, et... j'ai pris un autre coup.

— Lui, tu l'as vu ?

— Non.

Je le mets rapidement au courant :

— Sue est morte, Youssef. On l'a retrouvée dans la chambre. Un coup de fusil.

L'hôtelier se redresse brusquement. Trop brusquement. Il pousse un cri de douleur et retombe sur le lit en geignant. Il lui faut de nouveau quelques secondes pour retrouver son souffle.

— Dans ma chambre ! Elle est venue mourir dans ma chambre ! Je n'ai plus qu'à mourir aussi.

— Tu dis des bêtises, Youssef. Ce n'est pas toi qui l'as tuée.

Il secoue ses pansements.

— C'est pire... un cadavre dans un hôtel, c'est comme un ver dans une datte. Plus personne n'en veut. Je suis mort...

Je me lève en souriant.

— Si les cadavres parlaient autant... Tu as eu de la visite ?

Il gémit :

— Amhed, un cousin... ah... Tu peux te moquer... Je te rends service et je suis dans la tombe.

— Pas encore. Je reviendrai te voir avec des figues, pas avec des fleurs.

Sa bouche se crispe péniblement.

— Tu ne crois quand même pas que je vais rester sur ce lit de mort comme une viande à mouches ? Pour qu'ils me pillent l'hôtel ou qu'ils le fassent encore sauter ! Je vais sortir.

— Il faut que tu te reposes, Youssef. À ce soir.

— Ce soir, je serai sorti ! crie encore le Tunisien.

Dans la chambre obscure, un dessin animé à base de monstres occupe l'écran. Tétanisé, Benoît se tient assis dans le fauteuil, ses grosses lunettes rivées à la télévision. Il est habillé d'une robe de chambre à carreaux rouge et bleu.

— Tu t'es levé, Benoît ?

— Hein ?

Il sursaute. Dans le film, un jeune blond à cape blanche coupe les têtes hurlantes d'un robot-pieuvre.

— Chut !

Apparemment, l'heure n'est pas à la discussion. Je fais quelques pas et m'assieds sur le lit.

— Tu te sens mieux ?

— Chut !

Le héros a des problèmes avec son lance-flammes. Derrière lui, toute sa famille est déjà morte, sa sœur coupée en deux, sa mère électrocutée, son père réduit en cendres après avoir perdu ses deux bras dans une herse chauffée à blanc.

— Cela va durer longtemps, Benoît ?

Le gosse ne répond pas. Une explosion, une salve de missiles. Enfin, une tornade. Par chance, le robot-pieuvre reçoit un poteau laser dans le thorax et, après un hurlement déchirant, vomit un mélange de sang et de mazout. Le héros adresse alors à la dépouille fumante quelques paroles bien senties et la musique du générique prend le relais. Une liste de Japonais à éviter clôt l'épisode.

Benoît semble se réveiller. Il éteint la télévision d'une pression sur la télécommande et la chambre plonge dans le noir.

— Tu as aimé ?

— Je manque d'habitude... Je peux remonter le store ?

Le rideau grince et un peu de clarté entre dans la pièce. En contrebas, sur le parking, les voitures chauffent doucement au soleil. Un homme ouvre un coffre, en sort une plante verte enrubannée, puis se dirige avec son chargement vers l'entrée de l'hôpital.

— Ça suffit, j'ai mal aux yeux.

Je bloque le volet à mi-course.

— Comment vas-tu, Benoît ?

— Pareil.

Il se frotte les yeux. Ses taches de rousseur ressortent, donnent l'impression d'être peintes à la main sur un masque de plâtre. Un masque de souris qui aurait reçu un coup violent sur le museau.

— Qu'est-ce que tu t'es fait au nez ?

Le gosse secoue la tête.

— Rien, rien, je me suis cogné... Mortrek, je n'ai pas raté un épisode... enfin, si, un seul...

Son visage se ferme comme sur un pénible souvenir. Je ne fais pas partie du fan club et je change de sujet :

— Tu as eu des visites aujourd'hui ?

— Gabriel.

Le gosse a remis ses lunettes sur son nez abîmé. Il se lève avec effort, marche à petits pas jusqu'à son lit, le visage crispé, comme s'il se retenait pour ne pas gémir. Un temps de repos et il se hisse sur le sommier en se tenant au barreau.

— Pourquoi tu me regardes comme ça ?

Je sursaute.

— Comment je te regarde ?

Il se glisse sous le drap.

— Comme Mortrek, dans le livre. Quand son frère se couche pour mourir, il lui dit : « Il y a les frères de sang et les frères de cœur. Mais quand les frères de sang sont aussi les frères de cœur, celui qui meurt vit toujours et celui qui vit, meurt un peu. » C'est comme ça que tu me regardes. J'ai raison ?

— Tu aurais raison si tu allais mourir et si tu étais mon frère.

Le gosse tourne la tête.

— Je suis pas ton frère mais je veux mourir, tu sais...

— Tu dis des bêtises. À dix ans, personne ne pense des choses pareilles.

— Moi, si, j'ai décidé.

Son regard se perd vers la fenêtre, le ciel bleu dans lequel s'effiloche un mince nuage blanc.

Je m'assieds au bord de son lit avec lassitude. Je ne comprends pas ce qui ronge Benoît. J'ai déjà vu des gosses malheureux, des gosses révoltés, des gosses désespérés, des gosses murés dans leur douleur comme des vieux dans leur silence, mais aucun qui se laisse aller avec une telle lucidité.

J'enlève distraitement les quelques poussières de ma cravate.

— Il faut que tu m'expliques, Benoît. Qu'est-ce qui se passe ? Tu as peur de rentrer chez toi ?

— Non, ça m'est égal. L'orphelinat ou chez moi, ça m'est égal. J'ai pas peur.

— Alors ?

Le gosse rajuste nerveusement ses lunettes et garde le silence.

— Je t'aime bien, Benoît. Il ne faut pas que tu restes dans cet état. Jamais Mortrek ne se laisserait aller comme ça. Il aurait déjà démoli l'hôpital pour pouvoir sortir. Tu n'es pas d'accord ?

— Mortrek, il... il...

Sa voix s'étrangle. Il triture le drap avec les doigts, fixe la tapisserie bleue en face de son lit.

Je tente encore :

— C'est à cause de ta mère ?

Il ferme les yeux.

— Elle te manque ?

Pour toute réponse, des appels viennent du couloir, une porte d'ascenseur claque. Le roulement d'un chariot annonce ensuite l'heure du déjeuner.

Je m'énerve un peu :

— Tu crois qu'elle serait contente de te voir jouer au mourant dans un hôpital ? Tu crois, Benoît ? Qu'est-ce que tu veux ? La rejoindre au cimetière ! Tu penses qu'on est tellement bien sous terre ?

Il se défend, la mine désespérée :

— Je ne joue pas, tu peux pas comprendre.

Je me lève en hurlant :

— Bon Dieu, non ! Je ne peux pas comprendre parce que tu n'expliques rien ! Tu perds ta mère dans des circonstances tragiques, d'accord ! Tu avais perdu ton père il y a quelques années dans un accident de la route, encore d'accord ! Tu n'as pas de chance, toujours d'accord ! Mais maintenant, que tu fasses le coup de te laisser couler comme un nageur en pleine mer, non, non, et non ! Je te connais ! Il y a autre chose !

— Eh bien, qu'est-ce qui se passe ici ? On vous entend crier depuis le hall.

La grosse infirmière a ouvert la porte, un plateau à la main. Elle se propulse dans la chambre, claquant sèchement des socques.

— Décidément, biquet, ce n'est pas ton jour. Ce matin, tu te cognes à la porte et maintenant, ton policier te dispute. Qu'est-ce que tu as aujourd'hui ? Le diable au corps ?

— Non, c'est lui qui m'embête.

La femme hoche la tête.

— Il a raison, tu sais. Il faut que tu manges.

— Il va manger.

Je lui prends le plateau des mains et je le pose sur le lit. Un peu fort. Du jus de viande gicle sur le drap et le gosse se recule avec un petit cri.

— Ça va, Benoît, ce n'est pas de l'acide. Mets ta serviette et attaque ton steak. Je partirai quand tu l'auras fini.

L'infirmière remarque.

— Vos méthodes sentent bon le commissariat.

— Parce que vous trouvez les vôtres efficaces ? Votre « biquet » maigrit tous les jours et à ce rythme, c'est un tas d'os que vous mettrez sous perfusion !

La grosse se vexe.

— Toute l'équipe médicale s'occupe de lui. Une psychologue l'a encore vu hier. Mais il veut rien manger. Même ses yaourts, il les vide dans le lavabo.

— Elle est gentille, la psychologue, intervient Benoît ; elle, elle crie pas.

Je hurle :

— Toi, mange et tais-toi !

Benoît sursaute, pique un morceau de viande avec sa fourchette. Il hésite, finit par le mettre dans la bouche.

— Mâche !

— Enfin, monsieur, ce ne sont pas des manières...

— Avale !

Benoît se force et déglutit péniblement.

— Reprends un morceau !

— Je crois... je crois que je vais appeler quelqu'un. Vous n'avez pas à forcer ainsi cet enfant. Vous le terrorisez.

Elle part en sprint vers la porte. Celle-ci s'ouvre avant qu'elle l'atteigne.

— Attention !

Granier la bloque dans ses bras.

— Excusez-moi.

L'infirmière se dégage, laissant mon adjoint à sa surprise.

— Qu'est-ce qu'elle a ? Une urgence ?

— Les intestins.

Il hausse les épaules.

— Il faut que tu viennes, ça continue... Ça va, Benoît ?

Le gosse est blanc comme un linge. Sa lèvre inférieure tremble et des haut-le-cœur lui remontent la poitrine.

Granier grimace :

— Tu devrais arrêter de manger ça, tu vas te faire vomir. En plus, ça m'a l'air dégueulasse.

Je le pousse sans ménagement vers la porte.

— Toi, on ne t'a pas sonné. Benoît, tu as cinq minutes.

Le gosse me regarde l'air perdu, sa fourchette vide dressée vers le plafond.

— Mange !

Il se remet à mastiquer sa viande comme un mendiant un bout de pneu.

GRANIER PASSE LE STOP en accélérant et tourne dans l'avenue déserte. Pendant une centaine de mètres, la voie suit les bâtiments de Grévale, puis les arbres succèdent à l'hôpital. Pas très longtemps. Une série de feux brûlés et une zone industrielle étalent une dizaine d'entrepôts, quelques grues et des panneaux « À vendre ». Un autre croisement, une friche commerciale, et la route est enfin fléchée : « Forgette : suivre Auchan. »

— Casuel a entendu le coup de fusil, explique Granier en changeant de vitesse ; il s'est précipité dans la maison et là, il s'est fait assommé par-derrière. Il vient de se réveiller.

— La veuve ?

— Elle a rejoint son mari.

J'ouvre ma fenêtre pour trouver un peu d'air. Le ciel évoque le printemps mais mes pensées restent au ras du bitume. En fait, un peu plus haut, au niveau d'un fil de téléphone où des hirondelles semblent passer le temps à intercepter les conversations.

— Tu as eu Sarton ?

— Il refuse les écoutes. Il dit que sans le OK du juge,

tu peux aller t'acheter des pinces, une ficelle et un pot en carton. Il a été désagréable du début à la fin.

Je soupire :

— C'est le problème des techniciens : des compétences sans intelligence. Les téléphones ?

— Il me les a quand même donnés : trois coups de fils ont été passés depuis l'hôtel de Youssef entre 8 heures et 9 heures. Le premier à *La Pagode* à 8 h 33, le deuxième chez toi à 8 h 40...

— Chez moi ?

Il opine de son crâne rasé, freine pour prendre sur la droite la rue des Vignes. Les pneus de la 304 gémissent dans le virage, font voler quelques gravillons.

— Le troisième, à 9 heures, c'est le SAMU. J'ai les durées quelque part...

— Pourquoi Sue a-t-elle appelé chez moi ?

Mon adjoint hausse les épaules :

— Et pourquoi à *La Pagode* ?

Le décor de la rue des Fabriques a été transporté puis remonté dans la petite rue des Vignes. Avec quelques différences : *La Pagode* remplace l'hôtel et les arbres, les lampadaires. À part ces détails et l'absence de badauds, l'ambulance, les véhicules de gendarmerie, les uniformes sont les mêmes, jusqu'aux voitures de Carelon et de Gallot qui attendent plus bas, garées sur le trottoir. La moto de Billard, elle, fait de la béquille à droite de la porte.

— Il doit y avoir une ambiance...

Mon adjoint coupe le moteur et ce dernier s'étouffe après quelques quintes. Synchronisés, nous quittons l'épave pour rejoindre le perron.

L'entrée de *La Pagode* est curieusement calme. Un gendarme garde le perron et, à l'intérieur, sa doublure discute à voix basse avec deux pompiers.

— C'est dans le salon, inspecteur.

Je m'arrête à la porte. La pièce est défendue par un ruban fluo et, à l'intérieur, la triplette habituelle répète son numéro, Gallot, courbé sur une table basse, Carelon, le nez dans sa mallette, et Billard, rechargeant un de ses appareils. Cette fois, le corps est en travers du canapé, près de la fenêtre donnant sur la rue.

— Gallot.

Le scientifique se relève. Il est en train de passer le tamponnoir et son teint jaune s'éclaire d'un sourire.

— Dis-moi la vérité, Boiteux... tu les tues et tu nous appelles après, hein ? C'est ça ?

— À cause des statistiques. Alors ?

Il se rapproche de la porte, sa bouche de vieux squale mimant la gourmandise.

— La même chose. Tu peux voir par toi-même.

Je vois. Comme Sue, Viviane Ocelli a un trou noir et sanglant à la place de la bouche. La veuve est pourtant mieux installée que l'Eurasienne. Elle repose la tête en arrière sur l'accoudoir du divan, un bras pendant, les jambes serrées et glissées sur le côté. Son tailleur parme reste impeccable à l'exception d'une tache de sang qui imbibe une partie de sa veste. Au-dessus d'elle, un large miroir au cadre laqué reflète la scène. Il dédouble les débris collés à sa nuque, au coussin, au bas du mur, comme une glace de boucher un étal d'abats.

Carelon s'approche à son tour. Il mâchouille un mégot et s'essuie les mains à une vieille serviette éponge.

— J'aime bien le décor. On se croirait dans un claque indochinois. Ma jeunesse...

Il promène un regard nostalgique sur la lampe peinte de

dragons, la collection de vases, les estampes de poissons, une pipe à opium. Dans la partie droite du salon, contre une fenêtre fermée par des volets, un petit bar a été aménagé avec un comptoir de laque noir et des tabourets en cuir. Au sol, des nattes de coco et des tapis népalais bleu et blanc couvrent le plancher et, au plafond, un grand ventilateur surplombe deux grands fauteuils d'osier et une table en bambou. Il y a même une moustiquaire.

Viviane Ocelli a été tuée dans la partie la moins exotique du salon, face à la porte. Le canapé est en cuir, la table en verre fumé, le cendrier en cristal. Un plateau avec une tasse et une cafetière est posé sur la table.

La veuve n'a pas fini son café : yeux écarquillés, tête en bas, elle fixe avec stupeur l'énorme télévision placée dans un meuble acajou.

Le légiste hoche la tête, commente comme pour lui-même :

— Même programme mais moins bien fait. L'angle de tir était plus relevé. Du coup, il a fait sauté une bonne partie de la boite crânienne et mis de la cervelle partout.

— L'heure ?

— Casuel a entendu le coup de feu à 11 h 05. Je n'ai aucune raison de ne pas le croire.

— Tu as vu quelque chose, Billard ?

Le photographe s'est mis debout sur la table en bambou. Il déclenche son appareil à l'aplomb d'une étagère, manque de tomber.

Il se rétablit et saute sur le sol.

— J'ai pris les vases au macro. Pour le plaisir...

— Le plaisir ! s'étouffe Gallot : depuis quand prends-tu des photos par plaisir ?

— Des trouvailles, Gallot ?

Il acquiesce :

— Un bouton arraché.

Un bruit de voix me fait me retourner. Chassagne et toute l'équipe arrivent du couloir, Bornalin en serre-file.

— Qu'est-ce que vous faites là, Déveure ? Je vous croyais parti en vacances.

Le commissaire me fixe, la moustache mauvaise, le nœud papillon vrillé. Derrière lui, le substitut Vocker m'adresse un salut nerveux. Ses yeux vifs ne cachent pas ses soucis. Moins expressif, Fayolle profite de l'arrêt pour moucher un nez d'ivrogne.

— Un mauvais pressentiment, commissaire. J'ai retardé.

— Dommage pour nous, intervient Bornalin.

Content de lui, le gros RG savoure son effet d'un coup d'œil circulaire. Je m'approche de lui :

— Tu répètes ?

Son sourire s'accentue :

— Boiteux et sourd.

Je l'expédie en arrière d'une bourrade. Bornalin titube quelques pas et s'écroule lourdement sur la banquette. Le siège craque mais résiste.

Chassagne se précipite.

— Vous devenez fou, Déveure ! À quoi ça rime ces pitreries ?

— À rien, vous avez raison. Je m'en vais.

Le commissaire me retient par le bras.

— Ah ! non ! Faites des excuses !

— C'est plutôt lui qui m'en doit.

— Déveure ! Des excuses !

Bornalin se lève péniblement. La figure grimaçante, il joue les grands seigneurs.

— Laissez, commissaire... L'inspecteur Déveure a besoin de vacances. Ses nerfs lâchent et...

Je le repousse une deuxième fois. Il retombe sur la banquette avec un juron exaspéré.

— Déveure !

Je traverse le hall sans m'arrêter. De l'air !

— Inspecteur !

Le substitut me fait signe d'attendre. Son embonpoint tressaute sur les marches et il me rejoint près de la voiture, la cravate sur l'épaule.

— Un moment, inspecteur. Avant votre départ, je veux savoir ce que vous pensez de ce crime. Exactement.

J'ai un geste vers la Pagode.

— Demandez à Fayolle et Bornalin. Ce sont eux qui pensent, ici.

Vocker replace sa cravate puis réordonne d'une main nerveuse sa coiffure courte et plaquée. Il prend une profonde inspiration et ses yeux gris virent au mercure sale.

— Inspecteur, oubliez un peu Bornalin. Je vous demande seulement tout à fait officiellement et tout à fait fermement où vous en êtes dans cette affaire.

— Au même point que vous, monsieur le substitut. Je ne connais pas le coupable.

Il hoche la tête, balance à bout de bras son cartable fatigué.

— Je suis à Seilans depuis vingt-deux ans, inspecteur, et je commence à connaître la ville et à vous connaître. Je ne vous cacherai pas que votre manière de travailler m'a toujours parue complètement anachronique, voire dangereusement dépassée. Au demeurant, tant que vous restez dans le cadre de la procédure légale, je peux passer sur votre folklore personnel et vos sautes d'humeur. Je dis bien tant que vous restez dans le cadre de la procédure légale... Maintenant, je vous répète ma question, inspecteur : où en êtes-vous, aujourd'hui ?

Je m'appuie à la portière de la 304. Pour l'heure, la voiture est vide, Granier invisible. Un peu plus bas, au volant d'une estafette, un gendarme attend patiemment l'heure de rentrer. Il écoute la radio. Les informations de 12 heures.

J'opte pour la chronologie :

— Une inspectrice des Impôts enquête sur une société de promotion immobilière. On retrouve le corps de cette femme dans la rivière au bas d'une maison appartenant à cette société. Un témoignage établit la présence du P-DG de cette société, à cet endroit, le jour de la disparition de cette femme. On enquête, on trouve d'autres preuves. On met en garde à vue le P-DG, on l'interroge. Il nie, il s'enfuit. Durant la nuit, le P-DG réussit à s'introduire chez lui malgré la surveillance de son domicile. Il prend un de ses fusils de chasse. Le lendemain matin, la principale témoin, celle qui l'avait reconnu, est abattue d'un coup de fusil dans un hôtel où j'avais cru la mettre à l'abri. Deux heures plus tard, c'est son ancienne patronne qui subit le même sort, chez elle, alors que je l'avais mise en garde à deux reprises et que je faisais également surveiller son domicile. Si je compte bien, nous en sommes à trois femmes tuées, un hôtelier à l'hôpital et le suspect en fuite. Sans oublier, le fils de l'inspectrice des Impôts qui se laisse mourir de faim depuis la mort de sa mère.

Vocker ne s'émeut pas.

— Vous en déduisez ?

— Premièrement, que mes surveillances ne valent rien. Deuxièmement, que le meurtrier est très bien renseigné et assez habile. Troisièmement, que pour quelqu'un de très bien renseigné et d'assez habile, il laisse à chaque fois suffisamment d'indices pour que même Fayolle puisse les trouver. Quatrièmement, que

Cauchart est dans les trois crimes le suspect le plus évident.

— En clair ?

J'ai un regard pensif sur la façade de *La Pagode*.

— En clair, je ne suis pas certain que le suspect soit le coupable.

— Vous êtes difficile, inspecteur. C'est quand même vous qui avez demandé la garde à vue de Cauchart. Vous qui étiez convaincu de sa culpabilité dans le meurtre de Marie-Claire Larget. Vous aviez des preuves.

J'ai un geste las.

— Trop... maintenant, je n'ai que des questions.

— Lesquelles ?

— Des dizaines... Entre autres, pourquoi Cauchart perd-t-il son trousseau de clefs dans la chambre de Sue Hitobé ?

— Il y a eu lutte. Cela peut se comprendre.

Je refuse l'explication :

— Il n'y pas eu lutte entre Sue et son meurtrier, mais entre Sue et Youssef, monsieur le substitut. De plus, des clefs qui tombent, ça fait du bruit.

Le magistrat fouille dans sa poche, en sort un paquet de cigarettes. Des blondes. Il m'en offre une, puis, après mon refus, allume la sienne avec un briquet en or.

— Ensuite, inspecteur.

— Ensuite, je me demande pourquoi Cauchart ne s'est pas précipité à *La Pagode* sitôt après sa fuite.

Vocker souffle un nuage de fumée qui se disperse à l'air de la ruelle.

— Vous voulez dire au lieu d'aller à son bureau ?

— Non, cette halte se justifie. Il était à pied, il avait besoin d'une voiture. Mais ensuite... La logique aurait voulu qu'il essaie de retrouver au plus vite Sue Hitobé et qu'il lui demande des explications. Or, il se passe quelque chose de tout différent : Cauchart emprunte la BMW de Boileau et disparaît ensuite jusqu'au milieu de la nuit, moment où il récupère son fusil chez lui. Maintenant, monsieur le substitut, comment Cauchart a-t-il pu remonter jusqu'à Sue ?

— Par Vivianne Ocelli.

— Sauf que la veuve ne savait pas où se cachait Sue.

Le magistrat grimace.

— Vous avez été suivi ?

— Non, pas à ma connaissance.

— Alors ?

Je lui montre d'un geste un des poteaux qui bordent la ruelle.

— Sue a téléphoné à *La Pagode* ce matin à 8 h 33. Elle a parlé à quelqu'un et une demi-heure plus tard, son meurtrier se présentait à l'hôtel et la tuait. De Forgette à Seilans, monsieur le substitut, un dimanche matin, il ne faut pas plus de vingt minutes.

— Donc ?

Je lève les mains comme pour souligner une évidence.

— Donc, Cauchart était là lorsque Sue a téléphoné à Vivianne Ocelli. Il s'est rendu à son hôtel, il a tué l'Eurasienne, il est remonté à Forgette, et il a tué Vivianne Ocelli. Amusant, non ?

Vocker écarquille les yeux :

— Vous le croyez vraiment ?

— Vous ne l'avez peut-être pas remarqué, mais Vivianne Ocelli avait des marques de cordes aux poignets et aux chevilles. Cauchart l'avait attachée pour aller à l'hôtel. Il a enlevé ses liens après l'avoir tuée.

— C'est vrai ?

Je hausse les épaules.

— Non.

— Je ne vous suis pas, inspecteur.

Je me redresse, regardant distraitement la ruelle encombrée de voitures. L'endroit est frais, humide, trop encaissé entre les arbres et les murs.

— Ce n'est pas grave, monsieur le substitut. Seulement, je ne vous cacherai pas que je suis inquiet.

— Pour qui ? s'alarme le magistrat.

— Pour Cauchart... Granier !

Mon adjoint redescend à pied la rue des Vignes. Il m'aperçoit et accélère le pas.

Vocker gémit :

— Mais enfin, inspecteur, pourquoi êtes-vous inquiet pour Cauchart ?

— Parce que pour moi, il n'avait finalement aucune raison de tuer Marie-Claire Larget... je vous tiendrai au courant.

Je fais le tour de la 304 et monte dans la voiture. Quelques instants plus tard, mon adjoint s'installe au volant.

— Je ne sais pas ce que tu lui as dit mais il est prêt à pleurer.

— On a parlé salaire. Allez, roule.

La voiture ralentit pour s'engager dans le lotissement de Saint-Gramet. Quelques gosses font du patin sur la voie en pente, une fillette du vélo, une autre du ballon sauteur. Les jeux s'interrompent à notre passage et des regards intéressés suivent les pétarades de la Peugeot.

Granier grommelle :

— On est prêt pour les rallyes Belle Époque.

— *La Vigie*, Granier.

Mon adjoint reprend le fil de son discours.

— Le cadenas a donc été forcé, et il suffit de pousser la grille. Il y a des traces de pneus assez récentes qui descendent jusqu'à la maison mais il faudrait les étudier pour être sûr que ce soit la BMW. En tout cas, il y a eu plusieurs passages et la voiture est restée garée un bon moment en bas, devant le garage.

— Des empreintes de chaussures ?

Il secoue la tête.

— Non, seulement un mégot de cigare. Je l'ai ramassé.

— Tu as été au ponton ?

Granier freine, se range derrière une estafette de gendarmerie.

— En inspectant l'allée. Mais je n'ai vu aucune trace : ni marque de pas, ni traînées de talons, ni taches de sang, rien. Par contre, il y a au moins une dizaine d'endroits où on peut passer du jardin de *La Vigie* à celui de *La Pagode*.

— La maison ?

— Toujours fermée.

Je réfléchis quelques instants, la main sur la poignée.

— Gabriel Giraud, Granier...

— Ça ne peut pas attendre demain...

— Non, je veux savoir ce qu'il fait. Ce petit inspecteur des Impôts était quand même l'amant de Marie-Claire Larget.

Je sors de la Peugeot. À une cinquantaine de mètres, le grand pavillon des Cauchart a repris son aspect habituel, une tranquillité confortable qui va avec le soleil dominical et le jardin verdoyant. La Porsche bleu marine est garée sur la rampe du garage et une autre voiture, blanche celle-là, stationne devant la maison.

— Des nouvelles ?

Dans l'estafette, le gendarme secoue la tête.

— Zéro, inspecteur. À part la grand-mère, personne de rentré, personne de sorti.

— Pas trop chaud ?

Il a un sourire malheureux.

— On ne va pas se plaindre. On a suffisamment pleuré après le soleil.

Je le laisse et je descends vers la maison.

La femme qui m'ouvre a environ soixante-cinq ans. Ridée et pâle, les cheveux gris coupés court, elle porte un chemisier avec une lavallière, un carré de soie sur un tailleur noir. Des bracelets en or cliquettent à ses poignets étroits. Tenue par une chaîne, sa paire de lunettes repose sur sa poitrine et un collier de perles s'emmêle à la monture d'écaille.

— Vous tombez mal, inspecteur ; ma fille dort et Sandrine est enfermée dans sa chambre. Nous avons eu des mots.

— Des mots ?

La grand-mère confirme du menton :

— Parfaitement. Cette petite défend son père bec et ongles. Elle est idiote : Jérôme est un salaud.

Le ton ne prête pas à la discussion. Je me dis que le troisième âge ne mâche pas plus ses mots que ses aliments et je soupire :

— Le terme est peut-être exagéré

— Absolument pas, inspecteur. Mon gendre est un salaud et de la pire espèce. C'est l'unique responsable de l'état de ma fille. Il l'a détruite et je sais ce que je dis. Vous feriez bien à l'occasion de le rappeler à Sandrine.

J'ai une moue :

— Ce n'est pas exactement mon rôle.

— Votre rôle est de trouver la vérité et de la dire ! s'emporte la grand-mère. Surtout à des jeunes sans cœur et sans cervelle !

Ma physionomie se fait moins aimable. Pour être franc, la belle-mère de Cauchart commence à me fatiguer.

— Je pense que vous devriez vous calmer, madame. La situation est déjà suffisamment difficile pour ne pas ajouter de l'hystérie familiale à ce que vous vivez déjà.

— Je ne suis pas une hystérique !

J'ai un sourire las.

— Pas plus que Sandrine n'est une idiote. Maintenant, où se trouve votre petite-fille ?

Elle garde le silence quelques instants puis hausse les épaules.

— Dans sa chambre, enfermée à double tour. Vous pouvez tenter votre chance, si ça vous dit...

La grand-mère me laisse le passage et je m'attaque à l'escalier. Une visite comme je les aime, courtoise, simple et tranquille.

Je n'ai pas besoin de forcer la serrure. La porte de Sandrine est ouverte et la chambre vide. Je vais jusqu'à la salle de bains, évitant les vêtements jetés par terre, la couette en tas au bas du lit. Des revues sont dispersées sur la moquette, un plateau avec un petit déjeuner posé sur le bureau. Dans la salle d'eau, personne n'occupe la baignoire : seul un peignoir est abandonné au pied du lavabo.

Je retourne dans la chambre et je m'arrête devant la fenêtre. Ce n'est pas pour la vue. Au niveau du jardin, maillot noir, bonnet blanc, Sandrine est dans la piscine et crawle à la vitesse d'une torpille. La longueur finie, elle enchaîne par un virage impeccable et repart comme un hors-bord. Ses jambes battent l'eau avec rage et ses bras fendent, loin devant, la surface agitée du bassin. Au minimum, un record régional.

— Ça va mieux ?

Je lui tends une serviette. Sandrine la prend sans un mot et se dirige vers une chaise longue, mouillant le sol à chacun de ses pas. Près du transat, elle retire son bonnet et se sèche rapidement. Je la rejoins quand ses petits seins et sa peau mouillée disparaissent sous un tee-shirt blanc.

— Vous deviez venir ?

— J'ai cru voir un homme avec un ciré jaune.

Elle hoche la tête, cache ses yeux rouges sous des lunettes de soleil.

— Super... Vous venez avec de bonnes ou de mauvaises nouvelles ?

— Dans l'ensemble, mauvaises.

— Mon père ?

Elle s'assoit sur la chaise longue. Je grimace, observant le plongeoir vide, les reflets argentés de la piscine. La surface du bassin s'est calmée et dans le fond, des faïences bleu foncé dessinent un C majuscule sur le carrelage clair.

— Nous le cherchons toujours.

La jeune fille pousse un soupir soulagé.

— Tant mieux...

Elle s'installe plus confortablement, offre son visage au bronzage. Des jambes de mannequin, un ventre de femme, une poitrine d'adolescente, des épaules d'homme. Je me dis que la fille du promoteur est un sacré cocktail et je m'assieds sur la chaise voisine.

— Vous vous êtes disputée avec votre grand-mère ?

Elle a un geste indifférent :

— Pas plus que ça... elle m'a dit que mon père était un salaud et je lui ai répondu que je la noierais un jour dans cette piscine. Autrement, non, comme d'habitude...

— Vous ne vous entendez pas ?

Elle glousse ;

— On est malin, dans la police... Non, on ne s'entend pas. Ce n'est pas d'hier, elle m'a toujours détestée. Soi-disant que je ressemble trop à mon père... Au fait, vous savez ce qu'on m'a dit ?

J'ai un signe d'ignorance et elle poursuit d'un ton amusé :

— On m'a dit que vous étiez le meilleur policier de Seilans. C'est vrai ?

Je ris doucement :

— Qui est votre informateur ? Un truand en cavale ?

— Un copain dont le père est journaliste. On vous appelle le Boiteux et c'est un braqueur qui vous a tiré dessus à la sortie d'une banque. Je sais aussi que vous avez un caractère de cochon.

Je prends le temps d'apprécier ces rappels puis je reviens à mon souci principal :

— Votre père a un coffre ici ?

Elle sourit :

— Vous n'aimez pas qu'on parle de vous ?

— Je ne suis pas en fuite. Répondez-moi.

La jeune fille redevient maussade. Elle chasse une mouche sur son tee-shirt, contemple avec attention la ligne de sa jambe droite. Elle donne l'impression de chercher un défaut.

— Dans le petit bureau.

— Un Fichet ?

Elle baisse son dossier, s'offre complètement aux ultra-violets.

— Vous m'embêtez. Oui, un Fichet.

— Vous en avez la clef ?

— Pas la peine, il est vide et ouvert. Maintenant, taisez-vous. Votre conversation ne va pas avec le soleil.

Je me lève en souriant.

— Je file. Aucune nouvelle de votre père, bien sûr ?

— Il attend que vous soyez parti pour sortir de l'eau.

La sonnerie du téléphone clôt l'échange. Un poste n'est pas loin, sur le bar de la cuisine d'été.

— Et merde !

Sandrine quitte vivement sa chaise longue. Pieds nus, elle court décrocher.

— Pour vous.

Je me lève et me dirige à mon tour vers le bar. Après la gazelle, le pachyderme.

— Déveure à l'appareil.

— Granier. Je passe te prendre dans un quart d'heure. On a retrouvé Cauchart.

Je pousse une exclamation :

— Où ?

Mon adjoint grommelle :

— Dans le Bièvre, environ 800 mètres en aval de *La Vigie*.

J'évite de regarder Sandrine.

— Noyé ?

— Coup de fusil en pleine figure. D'après les gars déjà sur place, cela ressemble à un suicide.

— Connerie...

Je coupe et je reste quelques instants silencieux. Quand je relève la tête, Sandrine a retiré ses lunettes. Les yeux rouges et gonflés, elle me fixe, la respiration suspendue.

— Mon père ?

Je confirme d'un signe.

— Il est... mort ?

— On vient de retrouver son corps, Sandrine... je suis désolé...

Comme si je venais de la frapper à l'estomac. Elle tangue sur place, laisse tomber ses lunettes.

— Mon... père... je le savais... depuis ce matin je le savais...

Je la prends doucement par les épaules. Elle me regarde d'un air perdu puis, après un gémissement étranglé, me tombe dans les bras en sanglotant.

LA VOITURE TRESSAUTE le long d'un ancien chemin de halage avant de s'immobiliser derrière les autres véhicules. Une clôture empêche d'aller plus loin et un panneau « propriété privée – pêche interdite » est cloué sur un chêne. Paisible, normalement boueuse, la Bièvre amorce à cet endroit une courbe qui va s'accentuant et laisse la rive envahie par les algues et les joncs.

J'effectue d'un regard automatique l'inventaire des véhicules et je claque la portière. Puis j'ouvre celle de l'arrière.

— Ça ira ?

Sandrine hoche la tête. Elle a remis ses lunettes noires et passé un jean sur son maillot. Son bronzage a disparu. Elle est livide.

Granier nous précède. On traverse un bois sombre, humide, et, vingt mètres plus loin, on débouche sur un promontoire herbeux. Fayolle bronze là, entouré par deux inspecteurs et un adjudant. Un peu à l'écart, un inconnu patiente devant un reste de verger envahi par les ronces. En aval, deux gendarmes s'éloignent en marchant lentement, l'air de chercher des trèfles dans les herbes et les roseaux. Une brise légère souffle le long de la Bièvre, effiloche vers nous quelques nuages blancs.

Au milieu des joncs, Gallot est déjà au travail. Il a enfilé une paire de bottes et patauge avec précaution autour du corps. Son matériel est au sec, sur une butte de terre.

— Restez ici.

Je m'approche du bord. Jérôme Cauchart est à moitié échoué sur une langue de sable, le corps retenu par un tronc mort, le ventre en l'air, les bras repliés sur la poitrine. La lanière de son fusil est emmêlée à sa main droite et des algues sont collées à son cou, sa chemise. Ses jambes flottent à demi, recroquevillées dans l'eau boueuse. À l'opposé, un trou noir et sanglant lui tient lieu de visage.

— Ça donne quoi, la science ?

Gallot remonte ses lunettes.

— De mieux en mieux. Deux femmes en matinée, un homme en après-midi. J'attends avec impatience la soirée.

— Mais encore ?

Le laborantin se redresse.

— C'est lui qui m'avait pété mes binocles. Cela ne lui a pas porté chance... Granier, j'aurais besoin d'un service... dans ma voiture, tu as une...

Les explications durent un peu et je laisse les deux hommes.

— Ce n'est pas beau à voir, hein, Déveure ?

Fayolle regarde en coin la rivière. Les cheveux blonds du policier rappellent toujours la paille d'écurie mais son nez semble mieux.

J'ignore son commentaire.

— Chassagne ?

— Il ne devrait pas tarder, Vocker et Bornalin pareil.

Ils vont être contents : un meurtrier qui se suicide, ça clôt le débat... Enfin, si on peut dire... j'ose à peine imaginer la paperasse que je vais avoir à me coltiner...

À ses côtés, l'adjudant enlève son képi pour s'aérer le crâne. Il observe Gallot.

— Je me demande comment il peut faire ça à longueur d'année. Tout à l'heure, même du bord, j'ai failli vomir.

Fayolle sort son mouchoir en soupirant :

— Faites comme moi, regardez ailleurs. La rivière, par exemple...

Le gendarme se recoiffe nerveusement :

— Merci bien, pour peu qu'il y en ait un autre... C'est possible, vous savez. Le mois dernier, on en a retrouvé un dans la Souve. Un an qu'il avait disparu. On avait plongé, sondé, rien. Il s'était coincé dans un trou d'eau. C'est la drague qui l'a remonté : le crâne dans un godet, le tronc dans un autre... Alors, les cours d'eau, très peu pour moi.

La Bièvre coule pourtant tranquillement. Le soleil de l'après-midi fait miroiter la rivière et, sur l'autre rive, les pousses de maïs reprennent en plus tendre la couleur de l'eau. Des insectes, des oiseaux animent de leur vol ce paysage paisible.

— Je veux voir mon père. Je veux le voir avec vous.

Sandrine s'est approchée, l'allure raide. Je m'interpose entre elle et la rivière et je lui prends le bras.

— Vous le verrez, plus tard. Pas maintenant.

— Non, je veux le voir...

— Après.

Je l'entraîne avec fermeté. Elle ne résiste pas vraiment et, en marchant, se contente de garder la tête tournée vers la Bièvre.

À la lisière du bois, je la fais asseoir sur une souche plate. Un tas de bûches attend le ramassage et derrière, d'autres arbres sont marqués d'un trait de peinture blanche. Un peu partout, de la sciure, des écorces et des copeaux blonds recouvrent le sol herbeux.

— Attendez-moi là. Je n'en ai pas pour longtemps.

Cauchart gît sur le dos. Le promoteur ne se reconnaît que par le haut de son visage et sa brosse de cheveux clairs. Couché dans son imperméable ouvert, il a quelque chose d'un baleineau rejeté sur une plage et attendant la découpe.

— Tu as vu ?

Gallot patauge vers le corps et me montre la place du bouton manquant.

— Le suicide ?

Sous son bonnet, le laborantin se gratte nerveusement le crâne. Il considère un moment le fusil de chasse, la lanière entortillée au poignet droit.

— Possible.

— Gallot...

Il a un soupir exaspéré.

— Tu ne peux pas patienter un peu, non ? Où as-tu appris ton métier, Boiteux, pour vouloir des conclusions avant les expertises ?

— Je ne veux pas de conclusion, je veux ton impression.

Il grogne :

— Mon impression est que ce n'est pas un suicide. Tu es content ?

— Si tu m'expliques...

Sa bouche se tord.

— Dans le genre pénible... Bon, c'est une impression mais c'est également un problème d'angle et de longueur de bras. Je ne suis pas sûr que cela corresponde... surtout avec cette lanière. Oui, cette lanière m'emmerde.

— L'heure de la mise à feu ?

— Difficile à dire... il y a des trucs qui ne collent pas... la rigidité cadavérique... la position des jambes... on verra avec Carelon mais je ne le donne pas pour récent, récent...

Je réfléchis en silence, évaluant le terrain en pente, le monticule, les bois épais couvrant la colline.

— S'il ne s'est pas suicidé, Gallot, on l'a assassiné...

— Tu fais des progrès... Encore un effort et tu pourras passer dans le privé.

— Tais-toi. Combien de temps est-il resté dans l'eau ?

— D'après moi, moins de six heures... Tiens, revoilà Cartier-baisons.

Son matériel de photo en bandoulière, Billard arrive au promontoire. Il serre quelques mains à la ronde puis s'approche du bord. Sa tenue de motard lui donne une allure de rocker qui vient de plier sa guitare.

Il m'apostrophe désagréablement :

— Tu veux que ma femme demande le divorce ou quoi ? Trois en un dimanche ! Déjà qu'elle me traite de pervers !

Gallot le fixe pensivement.

— C'est vrai que photographier des cadavres...

Billard lui lance un regard furieux.

— Toi, l'expert en viscères, ferme-la ! Quand je ferai un reportage sur les sauriens, tu poseras...

Je lève les mains.

— Calme, Billard, tu as vu Carelon ?

Le photographe hausse les épaules.

— On ne vit pas ensemble... Alors, c'est quoi, cette fois ? Un dépressif ? Un amoureux ? Un chômeur ?

— Gallot te racontera.

— Mais oui, je vais lui raconter... c'est une très belle histoire. Enfile des bottes plastiques, mon petit Billard, et vient. Il était une fois un gentil roi...

Je les laisse sans regret et je remonte sur la rive. Je marche quelques mètres dans l'herbe humide, écrasant pour l'occasion mes premières pâquerettes.

— Qui est-ce ?

L'adjudant relève la tête de son petit carnet, regarde l'inconnu.

— René Bignard. C'est lui qui a découvert le corps.

L'homme est trapu, âgé d'une cinquantaine d'années. Il porte des bottes de pêcheur, une tenue de pluie couleur mastic et fume des cigarettes informes en observant la rivière.

— Fayolle ?

L'adjudant s'interrompt à nouveau :

— Reparti aux véhicules. Il avait des appels à passer.

Je m'approche du dénommé Bignard et je me présente rapidement. Malgré son faciès d'homme des bois, le témoin devance ma question.

— Je peux partir, maintenant ?

— Dans une minute, monsieur Bignard. Vous étiez bien en barque quand vous avez découvert le corps ?

Il opine du menton.

— Celle de mon beau-frère. Je l'ai déjà dit à votre collègue. Je peux partir ?

— Dans un instant. Où étiez-vous sur la rivière ?

— Plus haut, derrière les arbres.

Il me fixe comme si je voulais lui voler ses trous d'eau. J'insiste quand même :

— Où exactement ?

— Là.

Sa cigarette montre les saules du petit bois puis retrouve sa bouche.

— Quelle heure était-il ?

— Quand ça ?

Je précise :

— Quand vous avez vu le corps.

— Vers les 2 heures. D'abord, j'ai pas bougé, j'ai pensé à une vieille bâche, ou une saleté dans ce genre. Faut dire que ça manque pas. La Bièvre, c'est pas une rivière, c'est un égout. Après, comme ça donnait rien rapport aux poissons, je me suis descendu avec le courant.

— C'est à ce moment que vous avez vu que c'était un corps.

— Oui, à ce moment.

— Et à part ce corps, vous n'avez pas entendu ou vu autre chose, monsieur Bignard ?

— Si, mais je ne pense pas que ça vous intéresse.

— Dites toujours.

Il hausse les épaules.

— J'ai vu un putain de cormoran attraper un gardon et une saloperie de rat musqué se planquer dans des racines. J'ai vu aussi un vol de trois canards et une poule faisane encore jeunette. L'ennui, c'est que je suis pêcheur, pas chasseur. Mon beau-frère, lui, est chasseur. Peut-être pour ça qu'il a une barque et moi un chien.

— Vous aviez votre chien avec vous ?

— Non, je ne pêche pas avec un chien. Avec une ligne, pas avec un chien.

Je fais un effort pour garder mon calme, incapable de savoir si l'homme se moque de moi ou s'il reste naturel.

— Vous n'avez pas remarqué quelque chose sur les rives en amont ? Une silhouette ? Une voiture ?

— Je pêche pas pour regarder les gens ou les voitures. L'autre, je l'ai vu parce qu'il était devant ma ligne. Et à cause du fusil. Un moment, j'ai cru que c'était un type à l'affût. Puis j'ai réfléchi. Je me suis dit qu'un type à l'affût ne se mettrait pas dans l'eau. Non plus sur le dos. Je me suis dit aussi que la chasse était fermée et je me suis rapproché. J'ai eu raison. C'était pas un chasseur. Pas un pêcheur non plus. De toute façon, même si la pêche est ouverte, on ne pêche pas à l'affût. J'ai jamais vu ça. Surtout sur le dos.

Je me sens d'un seul coup fatigué.

— Merci, monsieur Bignard.

— Je peux partir ?

J'ai un geste indifférent. Mon regard se porte sur le petit bois et mon cerveau finit par trouver le détail qui le gêne : une souche sans personne dessus.

Un hurlement me fait sursauter. Il vient de la rive, plus exactement de là où se trouve Cauchart.

— Ne le touchez pas ! Je vous interdis de le toucher ! Et vous, espèce de salaud, pas de photos !

Au bord de l'eau, Billard se fait taper dessus par Sandrine. Le photographe tente de protéger ses appareils et recule en pataugeant.

— Mais ça va pas, non !

— Salaud !

Sandrine l'attrape par une courroie. Billard pousse un cri étranglé et réussit à se dégager. Trop brutalement. Un trou d'eau le trahit et son pied droit s'enfonce brusquement. Le photographe part en vrille, le regard stupéfait, les bras en moulinets. Un dernier cri et il disparaît dans une gerbe d'eau.

— Ah ! Ça suffit maintenant !

Gallot empoigne Sandrine et tente de la maîtriser. Le laborantin est plus adroit avec les cadavres. De l'eau jusqu'au mollet, la jeune fille se dégage d'un violent coup de coude.

Gallot pousse un gémissement, baisse la tête pour se tenir le nez. C'est une erreur. Sandrine l'empoigne par les cheveux et lui arrache ce que je sais être sa meilleure mèche.

Il hurle.

— Mais vous êtes dingue !

— Mes appareils ! Putain ! mes appareils ! éructe Billard en barbotant ; aidez-moi !

Sandrine a autre chose à faire. Hystérique, elle ne lâche pas Gallot.

— Ne touchez pas mon père, espèce de salaud !

— Ça va pas !

Les ongles dans les joues. Le laborantin pousse un deuxième hurlement et part à reculons. Il s'emmêle dans les algues, perd l'équilibre sur les jambes du cadavre. Je le vois encore, dérisoire, se raccrocher à une touffe de joncs.

— Non !

Si. Les tiges s'arrachent et il tombe à l'eau avec un grand bruit d'éclaboussures.

— Mes appareils, gémit encore Billard.

Il est à quatre pattes dans la vase, dégorgeant comme une sangsue. Il fait peine à voir, les cheveux collés au crâne, les vêtements plaqués, ses boîtiers immergés pour photographier les alevins.

Je néglige la main qu'il me tend et j'empoigne Sandrine par les épaules. Elle me fixe, le regard hébété.

— Ne le touchez pas... personne... c'est mon père... mon père...

Un hoquet mal maîtrisé et la nausée lui retourne l'estomac.

LE COMPTABLE ME FIXE sans comprendre. Il porte une cravate de deuil sur sa chemise blanche et son visage fatigué se tend sous l'effort.

Il remonte ses petites lunettes.

— Je croyais que vous me rapportiez ma voiture.

— Non, désolé monsieur Boileau, nous ne l'avons pas encore retrouvée.

Derrière ses verres, ses yeux bruns prennent une expression contrariée.

— Mais il est très tard ! J'essaie d'appeler chez lui, personne ne répond. Il faut quand même que je la récupère.

Chacun ses soucis et, pour l'heure, la BMW ne m'intéresse pas.

— Je peux vous parler ?

— Oui, oui, entrez.

Il s'empresse, après un coup d'œil sur les autres portes. Quatre à chaque étage, elles rythment d'acajou coupe-feu le blanc impeccable du crépi mural.

Je pénètre dans un petit hall au carrelage propret, au guéridon de bois de rose. Au-dessus, des vaches pâturent dans un cadre doré, des clefs s'accrochent à une sauterelle en céramique, un aigle baromètre marque « beau temps ».

Un chat gris, un vrai, vient se frotter à mon pantalon, et je dégage la bestiole de la pointe du pied.

— Il n'est pas méchant. Il vous dit bonjour.

Boileau referme la porte. Une légère odeur de soupe se fait sentir, accompagnée d'une chanson pour se jeter sous les trains. Piaf.

— Attendez, nous allons peut-être...

Le comptable hésite sur la direction. Il finit par ouvrir une porte vitrée garnie de voilages. La chanson vient de là. « Non, rien de rien, non, je ne regrette rien... », déclame la môme.

— Venez... je... ma fille... Lulu... je vais arrêter la musique...

Mon sourire se crispe et je reste sur le seuil. Le petit salon comporte une alcôve sans meuble limitée par une barrière d'enfant. Une blondinette d'une douzaine d'années se tient derrière, accroupie sur un lino multicolore, le corps agité d'un léger balancement. Elle est en jogging bleu et pantoufles. À sa portée, une poupée, des livres, des coussins et un gros ballon rouge sont dispersés.

— J'arrête un moment la musique, Lulu, prévient Boileau ; il faudra être sage, hein ?

Un large canapé de cuir beige, deux fauteuils et un buffet vitré occupent la partie salon. Sur le meuble en chêne, un pick-up de l'après-guerre meule un 33 tours gondolé.

— Voilà, j'arrête... j'arrête...

« Non, rien de rien... », s'entête encore Piaf dans le haut-parleur. Puis le saphir dérape, raye quelques sillons et le bras retrouve son support avec un « clonc » enrichi de parasites.

— Voilà, c'est arrêté...

La fillette enfourne son poing dans la bouche et se met à se balancer plus fort. Elle se prend ensuite la tête dans les mains.

— Non, non, il faut être sage, répète Boileau ; je remettrai le disque après, je te promets...

Personnellement, je préférerais tout de suite. Un long hululement monte, se mêle à des grognements furieux.

— Remettez la musique, monsieur Boileau, nous pouvons parler ailleurs.

Il me fixe sans bouger. Les hurlements augmentent et je prends l'initiative.

— Il vaut mieux lui remettre.

Après quelques tâtonnements, le phono accepte de redémarrer. Bonne fille, Piaf reprend son air sous le gratouillis du saphir : « Non, rien de rien... non, je ne regrette rien... »

Boileau ne réagit pas, le regard perdu, n'entendant pas sa fille qui, elle, n'entend plus la musique. Elle se mange le poing.

Je pousse le son du petit tourne-disque : « Avec mes souvenirs, je vais faire un grand feu... », s'égosille la chanteuse. Ce n'est pas suffisant. Le refrain est couvert par les cris, les coups que se donne la fillette au sol.

Je hurle soudain :

— Bon Dieu ! Faites quelque chose !

Le comptable paraît enfin se réveiller. Il se précipite et enjambe maladroitement la barrière.

— Allons, allons...

Il réussit à la prendre par les épaules. Ensuite, agenouillé, il la berce doucement, serrée contre lui.

— Là, ma belle, là, là...

Les cris diminuent, semblent se calmer sur ses caresses, la chanson.

Je baisse un peu le volume puis je patiente, regardant ailleurs, par la fenêtre où le soleil descend sur une mosaïque de jardins de banlieue. Ma compassion est moins forte que ma méfiance. Le comptable a délibérément provoqué cette crise et je réfléchis à ce que cela signifie. À commencer par le fait qu'il me prend pour un imbécile.

— Là, ma belle, là...

Dans la cuisine, Boileau sort une bouteille entamée du frigidaire. La pièce est petite, propre, bien rangée. Un coucou marque 18 h 10 et une ardoise blanche rappelle d'acheter des biscottes.

— Asseyez-vous...

Je prends un tabouret.

— De l'Alsace...

Le petit comptable nous sert dans des verres ballon. Je bois une gorgée, le moral au niveau des paroles qui viennent d'à-côté.

Assis sur son tabouret, Boileau affiche les mêmes dispositions : le visage défait, le regard fixe, il boit son verre d'un trait, mais lentement, un peu comme s'il prenait un médicament vaguement dangereux.

— Comment s'appelle votre fille, monsieur Boileau ?

Le comptable repose son verre avec un soupir à arracher des larmes.

— Louise... la semaine, elle est dans une institution... On ne l'a que le week-end... elle ne parle pas, ne marche pas... Elle mange et elle hurle, c'est tout...

Je ne fais pas de commentaire. Face à moi, sur la cuisinière, le bouchon de la cocotte-minute frétille doucement. Les poireaux parfument la pièce et un peu de vapeur dégouline le long des vitres. La vue n'en souffre pas. Côté cuisine, l'arrière d'un petit immeuble expose ses loggias.

— Vous habitez ici depuis longtemps ?

Le comptable remonte ses lunettes. L'alcool lui a donné des couleurs.

— Avant que ma fille soit née... maintenant... Je vous ressers ?

Je décline l'offre. Il paraît comprendre, se verse un autre verre.

Il regarde la bouteille avec tendresse.

— Je ne me plains pas... Je me suis organisé... Tout le monde s'organise... Vous croyez que j'ai une chance de retrouver ma voiture ?

— Une BMW rouge, c'est reconnaissable.

Il opine du menton :

— Elle était neuve... 20 004 kilomètres.

— Pour un vélo, c'est beaucoup mais pour une voiture, c'est rien.

— Surtout pour une allemande. J'étais quasiment en rodage.

On médite quelques instants ces vérités de base, puis j'en viens à ce qui m'intéresse :

— Monsieur Boileau, c'est vous qui étiez l'interlocuteur de Marie-Claire Larget dans la SCI, n'est-ce pas ?

Il rectifie :

— Pas de Marie-Claire Larget, de l'administration des Impôts.

Je m'étonne :

— Vous avez eu affaire à d'autres personnes sur ce dossier ?

— Absolument. Les premières demandes d'informations n'étaient pas de Marie-Claire Larget mais d'un de ses collègues.

— Vous vous souvenez de son nom ?

Il acquiesce sèchement :

— Gabriel Giraud. J'ai cru comprendre qu'il était tombé malade et que Mme Larget avait repris le dossier en cours de route.

Je classe cette information à la rubrique « ne pas négliger » et je reprends :

— Et c'est donc vous qui étiez son interlocuteur...

— Je vous l'ai déjà dit : Cauchart ne voulait pas la voir.

— Pourquoi ?

Il hausse les épaules.

— Il déteste les fonctionnaires... en plus des Impôts... en plus une femme...

Il glousse comme à un bon souvenir, avale une gorgée de blanc.

— Quel genre de femme était Marie-Claire Larget, monsieur Boileau ?

— Vous voulez dire, physiquement ?

— Non, dans son travail.

Il réfléchit un peu, finit par soupirer :

— Le genre pénible... mais physiquement, elle avait de jolies jambes... surtout les cuisses... elle s'habillait court pour une fonctionnaire.

De nouveau, son hoquet de poule. Je préfère ignorer ses dérapages et je poursuis :

— Vous avez tenté une transaction avec elle ?

Le comptable se crispe. Il redresse encore ses petites lunettes et me regarde en biais. Un air de banquier à qui l'on demande un découvert.

— Vous êtes fiscaliste ?

— Pas encore. Alors ?

— Non, nous n'en étions pas encore là.

— Et où en étiez-vous, monsieur Boileau ?

Il vide son verre d'un geste brusque.

— Au moment où Marie-Claire Larget voulait rencontrer Jérôme Cauchart, inspecteur.

Je perds mon temps. Boileau a des automatismes de gratte-bilan et même sa voix, d'habitude fluette et hésitante, devient sur ce sujet sèche et précise. Changer de terrain.

— Vous saviez que votre patron était en garde à vue depuis vendredi soir, n'est-ce pas ?

— J'étais là quand vous êtes venu le chercher et j'ai appelé chez lui dans la soirée. J'étais au courant.

J'observe un instant le comptable. Petite bouche, petit nez, petits yeux, un air de fouine et un corps replet. Dans le genre, Boileau est un modèle à déjouer les signalements.

— Que faisiez-vous samedi au bureau quand nous sommes arrivés ?

— Je travaillais.

Je secoue la tête.

— Non.

Il me regarde sans comprendre. Puis s'empourpre :

— Que vouliez-vous que je fasse ? Je travaillais. Je travaille souvent le samedi matin. Quand vous êtes arrivés, je travaillais, je suis formel.

— Non.

Je le laisse mijoter le temps de boire une gorgée de son Alsace. Visiblement, le comptable est moins à l'aise. Il tripote nerveusement son verre, cherche ses mots :

— Je... je ne...

— Vous ne travailliez pas, monsieur Boileau. Vous téléphoniez.

Son soulagement fait plaisir à voir. Il sourit, hoche la tête :

— Ah ! oui, bien sûr...

Je lui rends son sourire.

— À qui ?

— Pardon ?

Je répète patiemment :

— À qui téléphoniez-vous quand nous sommes arrivés, monsieur Boileau ?

Sa bonne humeur a disparu. Il mime l'ignorance, hausse les épaules :

— Mais je ne sais pas. À un client sans doute...

— Son nom ?

— Comment voulez-vous que je m'en souvienne ? Je ne sais pas... vraiment, je ne sais pas.

Je me lève avec une moue sceptique. Sur la cuisinière, la cocotte-minute monte en pression et les jets de vapeur se font plus présents.

D'un geste sec, j'éteins le brûleur.

— Mais...

— Vous rallumerez plus tard... Si je vous comprends bien, monsieur Boileau, vous étiez, samedi vers midi et demi, tranquillement en train de travailler. Vous avez soudain vu votre patron arriver et se précipiter dans son bureau. Il en est ressorti quelques instants plus tard et il vous a demandé de lui prêter votre voiture avec de vagues explications. Vous avez accepté et vous l'avez vu repartir tout aussi vite. C'est bien ainsi que les choses se sont passées, n'est-ce pas ?

Il hésite, bafouille finalement :

— Oui, bien sûr...

— Parfait. Maintenant, vous m'avez dit vous-même que vous saviez que Jérôme Cauchart était interrogé à la PJ. Vous vous souvenez ?

— Oui, mais...

Je le coupe :

— Répondez simplement à mes questions, monsieur Boileau. Combien de temps faut-il pour descendre des bureaux où vous travaillez au garage où vous rangez votre voiture ? Trois minutes environ ?

— Je ne sais pas, vraiment, je ne sais pas...

Il me fixe avec inquiétude. Je fais quelques pas dans la cuisine, détendant ma cheville. Le coucou marque la demie, mais la porte du chalet reste close.

— Disons, trois minutes. Ce qui veut dire que, *grosso modo*, Cauchart arrivait au garage quand nous arrivions dans l'immeuble. Et pendant ce temps-là, n'est-ce pas, vous téléphoniez. À qui ?

— À un client, sans doute...

Je hausse les épaules :

— Après avoir vu votre patron débarquer comme une tornade et repartir comme une fusée, vous vous remettez tranquillement à votre travail, monsieur Boileau ? Vous me prenez pour un idiot ?

— Non, bien sûr... mais c'est peut être le client qui a appelé. Cela arrive souvent.

J'ai un soupir apitoyé.

— Vous avez raccroché au nez de ce client lorsque nous sommes entrés. Hors, que fait un client à qui on raccroche au nez ?

— Heu... il rappelle ?

Je le félicite d'un sourire :

— Voilà, il rappelle. Le problème est que personne n'a rappelé pendant le temps où nous sommes restés à la SCI. Et personne n'a rappelé, monsieur Boileau, parce que l'interlocuteur que vous aviez au bout du fil savait qu'il ne fallait pas rappeler. Ou plus simple, vous lui aviez dit ce que vous aviez à dire et il n'avait nul besoin de vous rappeler. Et que lui avez-vous dit, monsieur Boileau ?

— C'était un client... un fournisseur... je ne sais plus...

— Vous lui avez dit que Jérôme Cauchart était passé

à son bureau et qu'il avait emprunté votre voiture. Je ne me trompe pas, monsieur Boileau ?

— C'était un client... un client, je vous dis.

J'insiste encore :

— Qui avez-vous prévenu, monsieur Boileau ?

— Un client... je ne me souviens plus...

Il baisse la tête, agrippe sa bouteille. Et se sert une nouvelle fois.

— Vous pensez à votre fille, monsieur Boileau ?

Il blêmit.

— Qu'est-ce que voulez dire ?

— Que Jérôme Cauchart a été retrouvé mort cet après-midi. Il avait une balle de fusil dans la tête et flottait en aval de *La Vigie*. Qui avez-vous prévenu, monsieur Boileau ?

Il ferme les yeux, répète comme une litanie :

— Un client... un client...

— Comme vous voulez, M. Boileau. Je vous laisse mes numéros au cas où vous retrouveriez la mémoire avant France Télécom. Ce genre d'initiative peut adoucir un dossier... on ne sait jamais.

Après un coup d'œil au coucou suisse, je quitte la pièce en boitant.

Saint-Léon est une ville-dortoir du sud de Seilans, un lotissement surdimensionné à l'équipement sommaire, sans charme, sans cœur et sans relief. Plat comme une crêpe, l'endroit vaut pour dormir et pour mourir. Entre les deux, quelques bus perfusent la zone pour des scolaires sans illusions et des retraités sans voiture.

Le pavillon est un modèle de série avec un étage mansardé, des briquettes en façade et une véranda à la vitre réparée au contreplaqué. Le jardin se résume à un carré de pelouse sur l'arrière et, côté rue, à deux tilleuls en bordure de grillage. À gauche, la même maison sans véranda, à droite, la même maison avec véranda. Entre chaque bâtisse, outre une remise à bois, la place d'une voiture est prévue sous un auvent de tuiles. Une Fiat occupe celle du pavillon qui m'intéresse. Elle a deux pneus crevés et plus de lunette arrière.

Le taxi repart et je sonne au portillon. Sur la boîte, le prénom de Gabriel n'est pas seul : Jacinthe Giraud partage l'adresse.

J'ai le temps d'observer le crépuscule jouer avec les ombres. Le soleil est couché et un peu d'air agite les stores d'un petit immeuble. Jusqu'à ce bâtiment, rythmant le trottoir avec les lampadaires, les poubelles sont sorties.

— C'est pour quoi ?

La femme a ouvert la porte mais reste sur le perron. Rousse, obèse, elle campe dans une robe de chambre rose et serre son col de ses deux mains épaisses. Pour ne rien arranger, sa jambe droite passe les pans du vêtement et montre jusqu'au genou la chair lourde d'une bête au gavage.

— C'est pour quoi ? répète-t-elle plus fort.

Je donne soixante ans à son visage soupçonneux et à ses cheveux teints. Après une formule de politesse, je demande Gabriel Giraud.

— Il est malade. Il ne veut voir personne.

— Police.

Ma carte fait son apparition. La femme fronce les yeux et pousse un gémissement.

— Cela fait deux fois aujourd'hui ! Vous ne pouvez pas vous organiser ? Il est malade et on est dimanche. Revenez demain. Demain, il ira mieux.

Je souris encore mais ma voix est moins aimable.

— Soit je le vois maintenant et chez lui, madame, soit je demande un fourgon et je l'attends au commissariat. J'ai besoin de lui parler.

L'obèse hésite puis choisit la visite à domicile. Elle descend avec peine les marches du perron et franchit les trois mètres d'allée en ronchonnant.

— Vous ne respectez plus rien. Bientôt, vous interrogerez même les morts. C'est à ne pas croire...

Elle débloque le portillon et dégage son quintal pour me laisser un passage.

— En plus, j'allais faire ma toilette. On peut dire que question dérangement, vous vous posez là.

Ses yeux s'écarquillent pour surveiller la rue.

— Vous êtes venu à pied ?

— J'habite à côté. Vous êtes la mère de Gabriel ?

Elle hausse les épaules, referme à clef.

— Vous pensez que je pourrais être sa fille ? Suivez-moi.

J'obéis, observant malgré moi le déhanchement de mon guide. Un roulis de pinasse, deux outres gonflées d'eau subissant le ressac.

— Vous attendez là. Je vais le prévenir.

Là, c'est l'entrée, un carré de deux mètres carrelé comme une piscine, tapissé de paille de riz verte et encombré d'une commode en sapin et du départ d'escalier. Ce dernier, étroit et pentu, bénéficie d'une moquette mouchetée orange et beige.

Une porte qui grince, des chuchotis. Cela sent le Wizzard lavande et je patiente sans plaisir, notant le décor. Au mur, un tableau de clefs, une bassinoire en cuivre et un chromo floral se répartissent l'espace. Sur la commode, une coupelle de billes multicolores et du courrier ouvert. À première vue, des factures.

— Il vous attend.

Je passe dans la pièce de séjour, retrouvant pour les meubles le sapin de l'entrée. Les fauteuils du coin repas sont recouverts de toile écrue, le canapé de cuir et les chauffeuses d'une housse fleurie. Au reste, la pièce est bien éclairée, nette, décorée pour l'essentiel d'huiles jaunâtres encadrées de dorures : des bateaux, un chalet en montagne, des biches dans une clairière. Seule note de désordre, la baie vitrée colmatée, vite fait mal fait, au scotch marron et au panneau de bois.

— Je vous préviens, il est malade. Il ne faut pas le fatiguer.

— Ne craignez rien, madame Giraud. En ce moment, les mal portants sont ma spécialité.

Je pénètre dans la chambre. La pièce est sombre, les murs pris jusqu'au plafond de bibliothèques surchargées. À moitié tournée, une lampe de chevet laisse dans l'ombre le visage maigre de Gabriel Giraud. Le reste de l'inspecteur des Impôts disparaît sous la couette, ne laissant deviner que la forme des jambes et, en bout de lit, la pointe des pieds.

— Je savais que c'était vous, inspecteur...

Une voix pour extrême-onction. Je me pose en soupirant sur l'unique chaise, insensible aux vêtements que je froisse, pressé de soulager mon pied. Autour de moi, les vieux livres s'entassent sur les étagères, alignent leurs reliures vieil or dans une odeur de cuir, de poussière et de papier moisi.

— Ma chemise, gémit l'alité ; vous êtes assis sur ma chemise.

J'ai un geste indifférent.

— Vous en mettrez une autre. Vous avez quoi ?

— Le foie, je ne sais pas. Je ne peux rien avaler. Quand je me lève, j'ai des vertiges et les oreilles qui bourdonnent.

— Restez couché.

Mon ton ne lui plaît pas et il redresse une tête ébouriffée :

— Il faut pourtant bien que je me lève, figurez-vous. Je passe mon temps aux toilettes. Vous devriez voir mes selles...

— Je ne suis pas vétérinaire, monsieur Giraud. Je suis inspecteur de police et, même si vous avez une santé fragile, je viens vous poser des questions. Pour commencer, qu'avez-vous fait le dimanche 28 mars ?

Il me regarde d'un air soupçonneux.

— Le 28 ? Il y a un mois ? La veille de la disparition de Marie-Claire ?

— Trois fois exact.

Sa voix se fait aigre.

— Vous me l'avez déjà demandé, inspecteur, et le policier au crâne rasé de tout à l'heure aussi. Le 28, j'ai passé l'après-midi avec Marie-Claire et Benoît. Je suis rentré pour le dîner parce que je ne me sentais pas très bien. Le lendemain, c'était pire et je suis resté couché toute la journée.

— Avez-vous un témoin ?

Il pousse un soupir exaspéré, s'enfonce à nouveau dans son oreiller :

— Ma mère.

— Je crains que cela ne soit pas suffisant.

— Pas suffisant ? Pourquoi ?

Ses yeux s'arrondissent et je trouve ainsi ce qui me gêne : le maigre Gabriel n'a pas ses lunettes. Elles sont sur la tablette de nuit, avec ses médicaments. Son regard s'en ressent et prend comme un aveugle la lumière de la lampe. Cette dernière est un modèle pour dentiste, articulé et pivotant, blanc et chromé, moche et moderne. Le lustre central vient du même bazar.

Je garde quelques instants le silence, réfléchissant à la méthode. J'ai le choix : soit passer en force et chercher dans les morceaux, soit rester dans un registre habituel et espérer une faille. La première solution est la plus tentante mais je me raisonne. Le grabataire émarge aussi à la fonction publique.

— Monsieur Giraud, vous avez bien été voir Benoît à plusieurs reprises, ces derniers temps ?

Il se rembrunit et ses mains disparaissent sous la couette.

— Il est malade, c'est normal, non ?

— Pourquoi est-il malade, monsieur Giraud ?

L'alité abaisse un peu la couette et ressort ses mains. Il mime le débile léger.

— Mais je ne sais pas, moi. Je ne suis pas docteur, je suis malade, comme lui. Vous ne me croyez pas ?

— Si. Vous avez d'ailleurs la même chose.

— La même chose ? Je ne comprends pas.

Le teint jaune et le regard affolé du fonctionnaire font plaisir à voir. Une évidence.

— De quoi avez-vous peur, monsieur Giraud ?

— Pardon ?

— Vous m'avez très bien entendu : vous êtes comme Benoît et vous avez peur. Mais de quoi avez-vous peur ?

La pénombre lui rend service, dissimule en partie ses changements de teint. Décidément frileuses, ses mains retrouvent la chaleur de la couette.

— Mais de rien... une intoxication alimentaire... je suis malade...

Le « malade » qui fait déborder le vase. Je me lève brusquement et j'arrache la couette. Le fonctionnaire pousse un cri de pucelle surprise au saut du bain.

— Vous êtes fou...

Je l'attrape par le col de son pyjama rayé.

— Gabriel, tu me fais perdre mon temps ! Tu es au fond de ton lit avec une crise de frousse et tu veux me faire croire à un virus dans un fruit de mer ! Tu te fous de moi ?

— Non, pas du tout...

— Alors ?

Il hésite, détourne la tête.

— Rien, je suis malade.

Je le frappe du revers de la main. Un coup sec. Il part en arrière et s'écroule dans son oreiller.

Je le redresse brutalement.

— Alors ?

— Je suis...

Deuxième frappe, plus forte. Cette fois, le maigre Gabriel pousse un cri rauque et se met à saigner du nez.

Je le réempoigne.

— Alors ?

La main levée. Il roule des yeux de volaille, agite les bras comme un naufragé.

— Arrêtez, arrêtez, je vais vous dire la vérité, c'est vrai...

— Qu'est-ce qui est vrai ?

Il gémit :

— C'est vrai, j'ai peur, j'ai peur...

Il sanglote presque et je le relâche. Il retombe sur son lit avec un grognement étouffé.

— Peur de quoi ?

Il hausse les épaules.

— De finir comme Marie-Claire, égorgé et jeté dans la Bièvre. Cela vous étonne ?

Je fais semblant de l'être. Je me rassieds et m'appuie avec lassitude au dossier de la chaise.

— On vous a menacé ?

Il hésite, baisse les yeux.

— Non, pas vraiment.

— Votre voiture ? La baie vitrée ?

Je lui tends la perche mais il la refuse.

— Des jeunes d'ici... cela arrive souvent. Le samedi soir, ils boivent quelques bières et ils ne savent plus ce qu'ils font...

— C'était samedi soir ?

Il soupire :

— Oui.

— Vous avez porté plainte ?

— Heu... non, pas encore. Je suis malade, je pensais le faire demain matin.

Le maigre Gabriel a plus de ressources que je ne le supposais. Même au bord du vide, le fonctionnaire ne veut pas céder.

— Alors, de quoi avez-vous peur, monsieur Giraud ?

— Je vous l'ai déjà dit, de tout, de rien. Au bureau, j'ai l'impression que tout le monde me surveille. On parle dans mon dos, on chuchote, on me met en quarantaine comme si j'étais déjà mort. Je n'ai plus un dossier, plus un ! et quand je rentre ou quand je vais voir Benoît, ou faire des courses, j'ai l'impression d'être suivi, tout le temps, partout ! Je vais devenir fou !

Je me lève en soupirant :

— Vous avez quelque chose à boire ?

— Dans le salon, le bar en sapin... du sapin, c'est de circonstance.

Je le toise sans tendresse.

— N'en faites pas trop.

Je trouve le placard, les bouteilles, les cacahuètes. Je néglige les arachides et remplis deux verres d'un whisky inconnu : Saint John and Son. Va pour le fils de John...

De la rue, une voiture se fait entendre, un Diesel qui dépasse la maison avec un cliquetis laborieux et tourne au premier carrefour. Une autre suit, version essence, puis le silence retombe sur le quartier plongé dans la nuit.

Dans la chambre, le fonctionnaire refuse le verre.

— Si je bois, je vais rendre.

Je pose son verre sur la table de nuit, à côté d'un tube d'aspirine et d'un flacon de sirop. Alerte, la trotteuse du radioréveil file vers 20 h 30.

— Vous devriez quand même essayer. Cela vous donnerait un peu de courage.

Je retourne m'asseoir et je bois une gorgée de whisky. Son goût m'arrache une grimace. Sa couleur, un vilain jaune indien, renforce ma sensation. Pas assez de grain, trop d'eau, trop fort : un mélange pour station-service. Je me dis que Giraud a peut être eu raison de refuser son verre.

— Maintenant, monsieur Giraud, je vais vous expliquer pourquoi je ne vous crois pas quand vous affirmez que vous n'avez pas de raison précise d'avoir peur.

— Vous... vous ne me croyez pas ?

— Non, je ne vous crois pas parce que vous êtes comme Benoît : vous avez une bonne raison d'avoir peur. Et cette raison, vous ne voulez pas me la donner, monsieur Giraud, parce que si vous me la donnez, vous pensez que vous allez vous retrouver dans la Bièvre. Je me trompe ?

Il baisse les yeux, contemple la bibliothèque comme s'il évaluait le travail pour la remettre en ordre.

Je continue tranquillement :

— Le problème est assez simple : vous êtes deux à me cacher quelque chose d'essentiel sur la mort de Marie-

Claire Larget. Benoît, qui est à l'hôpital, et vous qui ne l'êtes pas encore. Je ne peux pas forcer un enfant à parler, monsieur Giraud, mais je peux obliger un adulte. Alors ? Qui vous fait peur ?

Il murmure d'une voix rauque :

— C'est illégal, ce que vous faites là... c'est de l'intimidation... je pourrais porter plainte.

— Qui ?

Ses yeux se ferment et il semble respirer plus vite. Sa réponse est sans surprise :

— Personne... tout le monde.

— Je peux vous faire protéger.

Il a un rire triste :

— Un ? deux jours ?

Je me lève avec un soupir. Le maigre Gabriel se crispe mais ce n'est pas justifié. Je n'insiste pas. Comme Boileau tout à l'heure, le redresseur fiscal ne me dira rien, à moins d'être passé à tabac. Je le sais, il le sait. Mais je ne pense pas que Vocker soit disposé à admettre ce genre de vérité.

Je prends sur moi et je m'offre la même sortie que pour le comptable.

— Cauchart a été retrouvé dans la Bièvre en début d'après-midi, monsieur Giraud. Il avait reçu une balle de fusil dans la tête et il flottait comme un tronc mort. Il est le troisième aujourd'hui.

— Le troisième ?

Je pose mon verre sur sa table de nuit.

— Évitez d'être le quatrième, j'aimerais dormir cette nuit.

Je commence à sortir mais il me rappelle.

— Inspecteur ?

— Oui ?

Le maigre Gabriel s'est redressé sur le coude. S'il

n'avait pas bonne mine à mon arrivée, il est maintenant décomposé.

— Qui sont les deux autres ?

J'avais espéré autre chose.

— Vous lirez leurs noms dans les journaux. Pas de regret ?

Il hésite un instant puis se laisse retomber sur son oreiller.

— Je suis malade. Laissez-moi tranquille.

Je déchire une autre feuille de mon carnet.

— Mes téléphones au cas où. Ah ! Une dernière chose, monsieur Giraud...

— Oui ?

— Ne buvez pas votre whisky. Il est infect.

Mon hall sent les poubelles mais il y a une raison. La porte du local est ouverte et, à l'intérieur, le vieux Perrot fait une inhalation. Je ne le vois pas mais je l'entends bougonner en remuant les sacs. Tout aussi malodorant, son chien patiente sur le tapis, attaché à la rampe par sa laisse.

Au passage, je coupe la lumière du local. Il y a un cri, le bruit d'un carton qui s'écroule.

Je suis en train de relever mes publicités lorsque le vieux s'éjecte du réduit. Il roule des yeux de rat fuyant une montée d'eau.

— La lumière ! Monsieur Déveure ! C'est vous qui avez éteint la lumière ?

Il a des épluchures collées au pantalon, une large dégoulinade sur sa chemise. Un gilet gris lui couvre les épaules, un vêtement informe qui remonte dans son dos comme une serpillière sèche.

— L'ampoule a dû claquer. Dites-moi, monsieur Perrot,

ce matin, vous auriez pu me dire que j'avais eu un coup de téléphone.

Sa vilaine bouche se plisse.

— Ce matin...

— Une femme, elle a appelé à 8 h 40. Que vous a-t-elle dit ?

— Une femme, vous dites...

Il cherche un moment dans son grenier personnel puis deux fils se touchent.

— Ah ! oui, une femme, pas aimable. Elle a appelé avant que vous arriviez.

— C'est ce que je pensais. Que vous a-t-elle dit ?

— À moi, rien. Elle avait un message pour vous.

J'ai un soupir.

— Lequel, monsieur Perrot ?

— Ah ! ça, je ne me souviens plus... Cela ne devait pas être très important... Si ! elle a dit quelque chose comme « j'ai fait une bêtise »... Oui, c'est ça... Il me semble aussi qu'elle voulait que vous veniez... Oui, c'était urgent, je m'en souviens maintenant. J'aurais dû vous le dire quand vous êtes arrivé, mais c'est de votre faute, aussi...

Je m'étrangle :

— Comment, de ma faute ?

— Oui, parfaitement, de votre faute. Des gens comme vous, ça bloque les confidences. De toute manière, avec cette dame, je n'ai pas fait d'impair. Au contraire, vous devriez me remercier.

— Vous remercier ?

Sa tête de corbeau confirme d'un hochement. Il chuchote :

— J'aurais pu lui dire que vous n'étiez pas rentré de la nuit, monsieur Déveure. Je ne l'ai pas fait... Vous voyez, malgré ce que vous pensez, je peux être délicat.

Je préfère rejoindre l'ascenseur. Autant faire comme son chien : se coucher en boule et attendre que cela passe.

— Monsieur Déveure ! Ce n'est pas l'ampoule ! L'ampoule marche très bien !

La porte se referme déjà. Sa voix me poursuit deux étages puis la tringlerie de la machinerie couvre ses braillements.

Au troisième, je n'ai pas à ouvrir la porte palière. Celle-ci se libère d'un coup.

— Qu'est-ce que tu fais là, toi ?

Sandrine ne répond rien. Elle s'accroche à la poignée et appuie doucement la tête au battant. Son visage est marqué, les yeux injectés, la bouche boudeuse. Courte et noire, sa jupe dépasse à peine d'un large blouson en cuir.

— Tu es muette, maintenant...

— Je vous attendais. J'ai entendu crier en bas et j'ai pensé que c'était vous.

— Cela ne me dit pas ce que tu veux.

Je reste dans l'ascenseur, pas pressé de sortir. Je me méfie. Je n'ai aucune envie de terminer cette journée par une autre partie de catch.

— Je suis venue m'excuser... pour tout à l'heure. J'ai perdu la tête...

— Je crois aussi... mais je peux comprendre...

— Vous ne m'en voulez pas ?

J'ai un geste las.

— Il faut être en forme pour être rancunier. Et je suis fatigué.

— Moi aussi, je suis fatiguée. Cette journée est la plus longue de ma vie.

Elle me regarde mais ce n'est pas moi qu'elle voit. Elle est avec son père au bord de la Bièvre.

— Rentre chez toi, Sandrine. Il faut te reposer.

— La plus longue et la plus triste aussi... je ne crois pas que je pourrai dormir... non, je ne pourrai pas...

Ses lèvres forment à peine les mots qu'elle prononce.

— Au moins t'allonger. Le sommeil viendra après... plus tard... tu as le temps...

Des coups sourds font brusquement vibrer l'ascenseur et la voix éraillée du vieux Perrot réclame le monte-charge.

Je quitte la cabine :

— Rentre, Sandrine. Il y a ta mère, ta grand-mère. Elles doivent s'inquiéter

— Oui, ma mère...

Je l'attrape par les épaules et je la pousse fermement dans l'ascenseur.

Je me suis installé dans le fauteuil. Derrière moi, sur le bureau, un reste de raviolis, un pot de yaourt et des épluchures de pomme attendent le retour en cuisine. Une bouteille de bière vide complète ces reliefs et place ce dîner entre les rations de survie et le plateau de cantine. Il vaut mieux. À mon avis, la mastication solitaire est dangereuse quand elle devient plaisir.

En fait, pour ce soir, je n'ai pas besoin de compagnie. Les événements du week-end tournent en boucle sous mon crâne et cette animation suffit à m'occuper. Avec les bruits de la rue.

Dans la ville sinistrée par la nuit, quelques rares voitures cherchent des distractions au pied des réverbères. Elles passent à vive allure, profitant des feux clignotants, descendant vers le quartier Sainte-Catherine et les bars du quai. Nuit dominicale à Seilans, nuit des restes. Restes de frigos dans les restaurants, restes de bouteilles sur les zincs, restes de filles sur les trottoirs. Du poisson à la viande, le périmé fait la loi.

En dessous, le vieux Perrot accompagne mon insomnie de musique militaire. Fifres et tambours jouent : *Ils ont traversé le Rhin* et je me surprends à battre le rythme de mon pied valide. À croire que la gendarmerie me tente...

Albertin est revenu. Le petit braqueur a redonné sa grande scène, celle de la sortie de banque avec arrosage au fusil-mitrailleur. J'ai replongé dans le caniveau, le pied déchiqueté. Comme à chaque fois, la vision du tribunal suit, le sourire narquois de la petite gouape, son air content de faux dur comptant ses années de prison comme des points de carrière. Le pire est que sa pension touche à sa fin. Le mieux est que je l'attendrai à la sortie.

Je reviens à ce qui me préoccupe. De Larget à Cauchart, d'une femme à un homme, de la Bièvre à la Bièvre. Je cherche qui ? Simple : je cherche un homme ressemblant vaguement à Cauchart, un homme qui connaissait Marie-Claire Larget, la petite Sue et la vieille Ocelli, un homme capable de terroriser Benoît, Boileau et Giraud, un homme parfaitement renseigné. Simple...

Minuit vingt. À l'étage du dessous, le chien du vieux aboie à trois reprises et se tait après un gémissement. Une alarme de voiture se déclenche à quelques rues de là, hulule son programme et se tait également. Seilans s'endort.

La sonnerie fait soudain tressauter le téléphone.

— Boiteux, j'ai un problème avec Benoît.

— Lequel ?

À l'autre bout du fil, Granier soupire :

— L'infirmière. Cette dinde m'a viré de l'étage. Elle dit qu'elle n'a reçu aucune consigne comme quoi Benoît devait être spécialement surveillé. Pour elle, je n'ai rien à faire ici.

— Benoît a changé de chambre ?

Il grogne :

— Même pas. Elle m'a répondu qu'elle ne voyait pas non plus pourquoi elle le déménagerait.

— Fayolle ?

— Avec la mort de Cauchart, pour lui, l'affaire est bouclée. Il m'a envoyé balader. Qu'est-ce que je fais ? Je dors sur le parking ?

— Tu m'attends, Granier. J'arrive.

Je me lève et je resangle ma chaussure. Puis je quitte l'appartement après avoir éteint la lumière.

L'entrée se fait par les urgences. Sous l'enseigne éclairée, une ambulance stationne, portes ouvertes, gyrophares au repos. Dans l'alignement, deux infirmiers discutent, des gobelets à la main. J'entends « turbo de merde » et ma carte m'ouvre le couloir.

Une femme blonde est couchée sur un chariot. À côté d'elle, un homme tient sa main emmaillotée d'un torchon de cuisine. Il regarde le mur, l'œil fixe, l'air de compter les secondes. Deux chaises plus loin, une brune attend aussi son tour. Elle a les cheveux plaqués et un pansement au front. Raide et crispée, elle se tient à bonne distance d'un clochard endormi. Ce dernier, un métis à poils gris, expose, outre ses chiffons, la plaie infectée de son ongle de pouce. Avec un jeune prostré près d'un extincteur, l'ambiance est à la douleur morne et aux néons blafards.

Un panneau « Bloc Opératoire 1 » surmonte une double porte. Un autre indique « Réanimation », un troisième flèche les ascenseurs. Je choisis ce dernier.

L'étage semble calme. Dans le bureau, un barbu en blouse blanche sommeille. Dans son axe, une petite télévision est allumée, diffusant une série américaine. Une odeur de café monte du coin kitchenette, combat agréablement celle des médicaments.

Ma question arrache au barbu un rire fatigué.

— Le Tunisien du 33 ? Parti à 18 heures.

— Seul ?

Il secoue la tête, se frotte le visage en se redressant péniblement.

— Non, il avait un esclave. Même race mais sous-alimenté. Ils ont commandé un taxi et ils ont filé comme des yearlings. D'après moi, ils sont déjà au Maghreb. Vous les cherchez pour quoi ?

J'élude la question et je repars vers les ascenseurs. Youssef a tenu parole. Il est rentré à son hôtel.

La veilleuse du couloir apporte un peu de lumière. Dans son lit, Benoît dort paisiblement, la bouche ouverte, un foulard de soie verte roulé dans la main droite. Il a repoussé le drap et repose sur le dos, une jambe de pyjama à découvert. Son visage maigre offre dans le sommeil les marques de son jeûne : pommettes trop saillantes, orbites creusées, menton pointu comme une pique. Il ne faudrait pas que ce cirque dure trop longtemps ou alors, le gosse aura du mal à se rétablir sans séquelles. S'il se rétablit.

Dans mon dos, mon adjoint s'impatiente :

— Qu'est-ce qu'on fait ? Elle va finir par revenir, l'autre dinde...

— On le réveille, Granier. Ensuite, on l'embarque discrètement.

Il râle :

— Dans le genre connerie, j'ai rarement fait mieux.

— Surveille le couloir, j'allume.

Benoît se réveille avec les éclats du néon. Je m'avance et je lui fais un sourire.

— Ça va, bonhomme ?

Il me fixe sans me reconnaître, paupières papillonnantes, cheveux ébouriffés. Puis ses yeux s'agrandissent de terreur.

Il hurle :

— Non ! Laissez-moi ! Non !

Je lui fais signe de se taire et je me précipite.

— Tais-toi, Benoît, c'est moi, le Boiteux...

— Non ! Non... Ah... c'est toi...

Le gosse retombe sur son oreiller avec un soupir soulagé. Son nez est toujours gonflé et il a un autre bleu sur la pommette droite.

— Tu pensais que c'était qui ?

— Je ne sais pas... j'ai dû faire un cauchemar... Tu viens me faire manger ?

Je me mets à rire.

— Non, je viens te chercher.

— Pour la prison ?

— C'est ça, la prison. Allez, lève-toi, je vais t'aider à t'habiller.

Ce n'est pas très facile. Le sommeil plus le jeûne handicapent ses mouvements, le rendant maladroit comme un agneau du jour. Je simplifie le trousseau : un jogging sur son pyjama et des tennis avec Velcro.

— Mes lunettes.

Je les récupère sur sa table de nuit.

— Je peux emporter mon livre de Mortrek ?

— Si tu veux.

— Et mon ordinateur ?

Je m'énerve :

— Oui, mais dépêche-toi, Benoît.

On finit par sortir. Dans le couloir, mon adjoint a sa tête des grands jours mais se force à sourire :

— Tu as l'air en forme, Benoît.

Le gosse hoche la tête. Pourtant, avec sa mine, son jogging mal arrangé et son sac plastique, il évoque plus le départ au sana que le retour de vacances.

— Par où ? questionne Granier.

— Le sous-sol et la lingerie. Avant la lingerie, tu as une sortie de secours qui donne directement sur le parking.

Il apprécie :

— Tu as volé les plans ?

— J'ai été hospitalisé ici, Granier. Sans compter que je passe ma vie dans ce bâtiment à questionner des rescapés... attention !

Dans l'autre partie du couloir, les portes de l'ascenseur viennent de se déclencher. Leur faisant suite, des claquements de mules se font entendre.

Je mets Benoît dans les bras de mon adjoint.

— Par les escaliers, Granier. Je m'occupe de la vieille.

Il fonce vers la porte, le gosse accroché au cou, le sac plastique ballottant dans les airs. Je prends la direction inverse et je force sur ma cheville pour tourner l'angle le premier.

— Mais vous êtes fou !

La grosse femme a failli tomber. Le visage congestionné, les seins en désordre, elle m'adresse un regard pour pervers et voleurs de sacs.

— Vous ne pouvez pas faire attention, non ? Bousculer les gens de cette façon, on n'a pas idée !

— Excusez-moi, je suis désolé...

Elle redresse une mèche en suspension, rajuste avec mauvaise humeur sa blouse.

J'en profite :

— Remarquez, cela tombe bien, je vous cherchais. Il faut que je vous parle.

Son grain de beauté prend de la hauteur avec son menton.

— Demain. Vous n'avez rien à faire ici à cette heure de la nuit. Je l'ai déjà dit à votre collègue et je ne changerai pas d'avis. Personne à mon étage.

— Même si je me fais discret ?

— Personne ! s'énerve la grosse infirmière ; mes malades ont besoin d'une protection médicale, pas d'une protection policière. Si tel n'était pas le cas, j'en aurais été avertie officiellement.

J'ai un sourire contrit.

— Les événements vont souvent plus vite que les papiers... est-ce...

— Organisez-vous mieux. À demain.

Elle s'éloigne, la mule triomphante, la croupe dans le rythme. J'attends le strict minimun et je récupère l'ascenseur.

Le hall de mon immeuble est éclairé. À l'intérieur, outre la peinture coquille d'œuf et le carrelage à petits carreaux, le spectacle est assez habituel. Le vieux Perrot passe ses insomnies à nettoyer l'ascenseur et son chien dort sur le paillasson, attaché à la rampe.

Tenant Benoît par la main, je marque la pause devant la cabine.

— Excusez-moi, monsieur Perrot, on monte.

Le vieux joue du chiffon sur le miroir. À ses pieds, un seau contient son matériel : Miror, Pliz, produit pour les vitres, raclette.

— J'ai presque fini...

Son chien s'est réveillé. Curieusement, l'animal ne grogne pas mais au contraire, remue la queue en avançant. Pas vers moi, vers Benoît.

Le vieux sourit.

— Il est gentil, ce petit, c'est de votre famille ?

— Pour un soir.

— Je peux le caresser ? intervient Benoît.

Le vieux Perrot s'illumine. C'est sans doute la première fois depuis des années que quelqu'un lui demande ce genre de permission.

— Mais bien sûr ! au contraire ! Rex ne demande que ça...

Le gosse s'agenouille avec effort. Il se met à caresser le berger allemand, lui grattant le cou, le poitrail, l'arrière des oreilles. Le chien apprécie : il se couche sur le dos en ronronnant comme une chatte. Benoît éclate de rire.

— Regarde, il aime !

Le vieux s'attendrit :

— Il est gentil, ce petit, très gentil. Il ne doit pas être de votre famille, monsieur Déveure.

— Effectivement. Vous libérez l'ascenseur, monsieur Perrot ?

— Regardez-les, ils sont mignons...

Ce n'est pas le terme que j'emploierais. Rex s'amuse maintenant à mordiller la manche de Benoît et ce dernier tombe assis sur le paillasson. Je connais celui qui fait le ménage et je proteste :

— Relève-toi, Benoît, allez.

— Regarde... il... il... me mordille... le...

Le reste se perd dans les rires. Dans la cabine, le vieux en devient tout baveux.

— Il peut monter jouer à la maison avec lui, si vous voulez...

— Il est tard, monsieur Perrot, il faut que cet enfant dorme.

— Alors, juste boire un jus d'orange. Tu veux du jus d'orange, Benoît ?

Le garçonnet se redresse en se tenant à la rampe, les vêtements en bataille. Il repousse difficilement le chien.

— Ah ! oui, ça, je veux bien.

— Et on donnera ses croquettes à Rex. D'accord ?

Benoît est enthousiaste, mais je le calme.

— Il est tard, Benoît. Tu montes te coucher et tu dors.

— Tu as du jus d'orange ?

Le vieux me regarde avec un air de triomphe. Son chien aboie à plusieurs reprises et je soupire :

— Cinq minutes. Le temps que je prépare ton lit.

Je termine d'enfiler la taie d'oreiller quand la sonnette retentit. Benoît est dans les temps. J'ai un dernier coup d'œil sur la pièce, le canapé-lit, ma lampe de bureau transformée en lampe de chevet et je rejoins l'entrée en évitant les cartons. Rien à dire : sans être coquette, la pièce qui me sert de garde-meuble fait une chambre très présentable.

— Qu'est-ce que tu fais là ? Qu'est-ce qui t'est arrivé ?

Sandrine se tient difficilement au chambranle. Elle a une ecchymose au front, une coupure à la joue, une manche de son blouson déchiré. Cheveux décoiffés, elle garde les yeux baissés sur le sol et tremble sans pouvoir s'arrêter.

— Entre, ne reste pas là.

Je la prends par les épaules et elle se laisse aller.

— Il m'a dit qu'il allait baiser la petite Cauchart et que cela lui ferait du bien... j'ai essayé de résister mais il m'a tordu le bras. Cela m'a fait tellement mal... Il a commencé à me déshabiller... Je me suis débattue... Il posait ses mains partout sur moi, partout... J'ai hurlé... Je crois que je lui ai donné un coup de tête... J'ai réussi à descendre de la voiture et j'ai couru jusqu'à la mienne... Il a mis du temps à se dégager... Je crois qu'il s'était emmêlé avec sa ceinture... Quand il est sorti, j'ai eu de la chance... Il a glissé et il a perdu un mocassin... J'ai pu démarrer... J'ai pu venir... j'ai...

Sandrine se tait, avale sa salive. Elle revit la scène couchée sur mon lit et son visage tuméfié frissonne comme le ventre d'une bête malade.

Je lui tamponne doucement sa coupure avec un coton d'alcool.

— Tu le connais ?

— Non... mais il connaît mon père... Il a dit plusieurs fois : « Ce salaud de Cauchart »... il a dit aussi que... que là où il était, cela lui ferait plaisir de voir ça... aussi, il savait que ma mère était malade.

— À quoi ressemble-t-il, Sandrine ?

Elle hésite, cherche ses mots.

— Grand... gros, avec des cheveux blonds... mais pas beaucoup... il transpire et... et...

— Quoi, Sandrine ?

Elle a un gémissement dégoûté, secoue la tête sur l'oreiller.

J'insiste quand même :

— Je t'en prie, Sandrine. Il faut qu'on le retrouve.

Elle tourne la tête, fixe la fenêtre.

— Sa bouche... sa bouche avait un goût horrible... de cigare.

— Ses habits ?

— Une veste en cuir, un... un pantalon beige... des mocassins brillants... oui, quand il l'a perdu en sortant de la voiture, j'ai bien vu son mocassin...

Je me lève, l'estomac noué. Aussi simple qu'une évidence refusée, aussi répugnant qu'un abcès qui perce dans votre dos. Je le savais, je l'ai toujours su et j'ai perdu mon temps à trop respecter les rôles. Un pourri n'est pas un assassin, voilà ce que je pensais. En oubliant un peu vite qu'on peut assassiner pour une combine qui dégénère.

Je vais jusqu'à la fenêtre. À chaque pas, un élément se met en place, une question s'explique. À chaque pas, je me traite d'abruti.

Lorsque je m'arrête devant la vitre, l'essentiel de l'affaire Larget s'inscrit sur fond de nuit et de toits d'immeubles. De quoi amplement ouvrir la fenêtre et se jeter dans le vide.

À mon bureau, je décroche le téléphone.

— Pourquoi mens-tu encore, Sandrine ?

La jeune fille garde le silence. Elle fixe un des murs, concentrée sur la frise qui coupe la peinture. Des carrés rouges, verts, oranges, dispersés sur la bande comme des fruits confits dans une plombière. D'origine.

— Granier ?

Mon adjoint sommeillait. Mes explications le réveillent progressivement et je finis avec un taux d'écoute acceptable. Au final, je conclus par des consignes simples :

— Tu me trouves son adresse et tu passes me prendre.

— Avec du monde ?

— Personne, Granier.

Je raccroche pour entendre sonner à la porte. Benoît me revient en mémoire, le jus d'orange du vieux, le lit du garde-meuble. Il commence à être tard pour un gosse qui vient de quitter l'hôpital et je fonce dans le couloir.

— Monsieur Déveure, je viens pour Benoît.

Le vieux Perrot est en pantoufles et robe de chambre. Sa tête inclinée s'agrémente d'un sourire inquiet.

— Quoi, Benoît ? Qu'est-ce qu'il a, Benoît ?

Le vieux sursaute et lève les mains d'un air affolé.

— Rien, rien, je vous assure, monsieur Déveure, il va très bien... très bien...

— Alors, où est-il ?

Il explique précipitamment :

— C'est justement qu'il s'est endormi... là, avec Rex...

Je manque de m'étouffer :

— Par terre !

— Non, non, dans un lit... un vrai lit... j'ai une chambre qui servait à mon petit-fils... il y a tout... un lit, des jouets... il dort très bien...

Le vieux s'est ressaisi. Il s'avance vers moi et lève un index presque menaçant.

— C'est pour cela que je suis venu, monsieur Déveure : on ne réveille pas un enfant qui dort. Il faut le laisser tranquille jusqu'à demain matin. Il est très bien là où il est. Il a tout ce qu'il lui faut.

— J'ai préparé son lit.

Le vieux Perrot a un sourire malin :

— Dans votre garde-meuble ? Monsieur Déveure, Benoît est très bien chez moi, je vous assure. Qu'est-ce que cela peut vous faire qu'il dorme au 3e ou au 4e étage ?

Je ne réponds pas. Je me mets à la place de Benoît et je pèse rapidement le pour et le contre. Perdu.

Je cède de mauvaise grâce :

— Entendu, M. Perrot, je vous le confie pour cette nuit. Mais vous avez intérêt à mieux le surveiller que votre chien...

Le vieux ne se formalise pas.

— Ne vous inquiétez pas. Je sais m'occuper des enfants mieux que vous ne saurez jamais. J'en ai eu.

— Barbe Bleue aussi.

Et je ferme la porte.

Sandrine s'est glissée dans les couvertures. Le lustre blanc éclaire son visage blême, ses cheveux collés. Elle a remonté très haut le drap, cachant son cou, un bout de menton. Une position que je n'aime pas, une position où il suffit de rabattre le pli pour partir à la morgue.

Je vais me rasseoir à son chevet, reprenant avant l'intermède Perrot :

— Tu m'as dit qu'il t'attendait devant chez toi. Il avait garé sa voiture à l'entrée du garage et tu as dû t'arrêter derrière lui, sur la rue. Il t'a laissée descendre et il t'a ceinturée au passage. Il avait une arme, un pistolet. Il t'a dit « si tu bouges, je te tue » et il t'a entraînée dans sa voiture. C'est bien cela, Sandrine ?

— Oui... mais je veux dormir... s'il vous plaît...

— Dès que tu m'auras dit la vérité.

Elle grimace, murmure difficilement :

— Quelle vérité ?

— La raison pour laquelle il t'attendait.

— Mais pour... pour...

Je tape sur le lit.

— Non ! Pas pour te violer ! Il a essayé de te violer en plus ! Il était là pour quelque chose de précis, quelque chose qu'il était déjà venu chercher samedi soir et qu'il n'avait pas trouvé ! Je me trompe ?

Elle hoquète.

— Je ne sais pas... je ne sais pas...

— Moi, je sais ! Il s'agit du coffre, Sandrine. Tu m'as dit dimanche que ce coffre était ouvert et vide. Et il était ouvert et vide parce que tu l'avais toi-même ouvert et toi-même vidé ! Quand ?

Elle résiste encore quelques secondes puis se laisse aller, vaincue.

— Samedi... après votre visite... mon père disait toujours que si... enfin, si un truc d'embêtant lui arrivait, il fallait commencer par vider ce coffre... c'est ce que j'ai fait... j'ai tout mis dans une valise et j'ai caché la valise dans le local à piscine... c'est là... là que j'ai été la rechercher... pour lui donner...

Je me redresse en soupirant. Tellement de temps perdu pour un peu de vérité.

— Qu'est-ce qu'il y avait dans cette valise ?

— Des papiers, surtout des papiers...

— De l'argent ?

— Un peu...

Je me méfie de son échelle de valeurs et j'insiste :

— Combien ?

Elle gémit :

— Je ne sais pas... 40 000, 50000 francs. De toute manière, il a tout pris... il a dit que c'était toujours ça... Vous... vous allez le retrouver ?

— Je vais essayer. Tu n'as rien d'autre à me dire ?

Elle tourne doucement la tête.

— Non, rien. Maintenant, je veux dormir... Je peux rester ici... un peu ?

— Je préviens chez toi que tu es ici. Claque la porte en partant.

L'immeuble a un jardin intérieur. La minuterie déclenche les projecteurs et révèle un bout de pelouse et des massifs de roses. Dans un angle, un petit jet d'eau coule d'une rocaille et glougloute paisiblement au milieu des nénuphars. Certains sont en fleurs et s'harmonisent avec les trémières de service.

Mon adjoint grommelle :

— Ils doivent même avoir des poissons rouges... Allez, avance, toi.

Le maigre Gabriel manque de tomber. Il étouffe un sanglot et prend la galerie à ma suite.

Je me dirige vers l'ascenseur. Le dallage est marron, les murs couverts de tissu orangé, les portes peintes d'un noir ébène.

— C'est pour faire ressortir les poignées dorées, grogne encore Granier ; je n'étais jamais venu dans cet immeuble. C'est incroyable comme les gens qui ont du pognon ont mauvais goût.

— Tu préfères chez toi ?

Il hausse les épaules.

— Chez moi, ce n'est pas sans goût, c'est sans fric, nuance.

— Quel étage ?

Il écarte trois doigts et propulse l'inspecteur des Impôts dans la cabine. Puis s'offre une séance de glace. Les yeux, la bouche, de nouveau les yeux. Avec l'éclairage ambré, mon adjoint présente à l'examen une teinte hépatique de bronzage sous lampe. Dans son coin, Giraud n'est pas en reste : verdâtre, il a les cheveux ébouriffés, les lunettes de travers. Pour ne rien arranger, sa chemise blanche au col débraillé flotte hors de son pantalon, lui donnant l'allure d'un interné en sortie familiale.

La porte est en bout de couloir. Des alarmes à incendie rythment le plafond, s'intercalent aux globes et au baguettage faux cuivre. Deux autres appartements partagent le niveau, le 31 et le 32. Le 33 est celui qui nous intéresse.

— Il n'y a pas de nom sur les portes, remarque Granier.

— Standing, Granier. Ici, on met un nom sur sa tombe, pas sur sa porte. Sonne.

Il le fait à plusieurs reprises. Puis garde le doigt sur la sonnette.

— Sommeil lourd...

— Insiste.

Mon adjoint révise son morse, alterne les brèves aux longues, s'offre un peu de continu. En plein solo, une voix sourde finit par se manifester :

— Qu'est-ce que c'est ?

— C'est moi, Gabriel.

Le maigre Giraud a la tête devant l'œilleton. Le 9 mm de Granier lui travaille les côtes et il respire péniblement, la bouche de travers. Avec la déformation de l'oculaire, la vision ne doit pas être agréable et les verrous cliquètent aussitôt.

La porte s'ouvre en grand.

— Bon Dieu ! Tu sais bien que je t'ai interdit de...

Bornalin n'a pas le temps de finir. Mon adjoint le percute de plein fouet et ils s'écroulent tous les deux. De mon côté, je cravate le fiscaliste qui tentait un vol libre vers le couloir.

— Calme, Giraud, ou je t'assomme.

Deux coups de poings résonnent dans l'entrée. Un crâne sur le carrelage donne la tierce puis un soupir précède le silence.

— C'est bon, commente mon adjoint en se redressant.

— Il... il est mort ? bégaie Giraud.

Je le fixe froidement.

— Il te manque déjà ?

Le gras Bornalin est étendu sur le marbre. Sa chemise bâille sur une poitrine mamelue, son pantalon laisse voir un mollet, ses mocassins sont dispersés l'un vers la porte, l'autre sous un guéridon noir. Même évanoui, il attire les coups de pied comme une vessie de porc les chaussures de gosses. Je résiste pourtant. Pas tous les plaisirs à la fois.

D'abord, je pense à une momie échappée du Muséum. Puis à l'ombre d'un touareg affrontant un vent de sable. Enfin, je reconnais Youssef sous son turban de pansements sales. Il se tient dans l'ombre de sa porte, l'entrebâilleur en place. Dans la vitrine, un adhésif « Fermé » barre les tarifs des chambres.

— Déveure ? Mais, qu'est-ce que tu fais là ?

— Je t'amène deux clients et une valise.

Le Tunisien referme pour débloquer sa chaîne. Il s'écarte ensuite en gémissant.

— Mais je suis fermé ! Comme tu me vois là, je ne tiens debout que par un souffle de vie.

— Ça suffira. Ils n'ont besoin de rien.

Je pousse dans l'entrée Bornalin et Giraud. Les deux hommes ont les poignets menottés et roulent des yeux de condamnés visitant un cachot.

Une main sur ses pansements, Youssef les dévisagent sans comprendre.

— Déveure, qui sont ces gens ?

— Un inspecteur des RG et un inspecteur des Impôts. Du beau monde, comme tu vois...

Le Tunisien pousse un couinement :

— Les Impôts ? Chez moi ?

Il titube jusqu'au canapé et s'assoit avec une grimace. J'en profite pour refermer la porte et poser la valise.

— Tu me les gardes enfermés cette nuit, et demain, je les récupère. Rien d'autre.

— Rien d'autre ? Est-ce que tu plaisantes ? La dernière fois que tu m'as amené quelqu'un, il s'est fait assassiner et moi, Youssef, je me suis retrouvé à l'hôpital !

Bornalin regarde le Tunisien avec une moue dégoûtée. Derrière lui, Giraud se tient tête baissée, cou offert, prêt pour la corde.

— Youssef, tu exagères.

— Rien du tout ! Je suis ici pour sauver mon hôtel, pas pour le convertir en prison ! Je sais bien que j'ai du mal à distinguer une braise d'une datte, mais quand même ! Je ne suis pas fou !

Je pousse Bornalin dans sa direction.

— Tu ne le reconnais pas ?

Le Tunisien lève la tête, secoue ses bandages.

— Jamais vu. Il est gras comme un beignet, si tu veux mon avis.

— C'est pourtant lui qui a tué la fille dans la chambre. Et lui qui t'a assommé...

Youssef met une seconde à comprendre. Quand l'information a traversé ses pansements, il se lève d'un bond, un couteau à la main.

Bornalin fait un saut de côté et je bloque le Tunisien.

— Lâche-moi ! Zardin de bouc ! Laisse-le moi ! Laisse-le moi juste une minute !

— Doucement !

Il éructe :

— Lâche-moi, je te dis ! Je vais l'ouvrir comme une huître de Djemil !

— Youssef !

— Alors son complice !

Il tente cette fois de sauter à la gorge de Giraud. Le fiscaliste hurle et se plaque au comptoir.

En catastrophe, je retiens une nouvelle fois le Tunisien.

— Ça suffit, Youssef ! Calme-toi ! Range ce couteau !

Il se débat, la lame tournoyante. Face à lui, le maigre Gabriel pousse des gémissements de chiots.

Je m'énerve à mon tour :

— Assez ! Range ce couteau ! J'ai encore besoin d'eux ! Après, tu pourras régler tes comptes.

Le Tunisien souffle, les mâchoires crispées :

— Ce n'est pas un serment de muet ?

— Tu as ma parole.

Il se détend d'un coup et range son cran d'arrêt. Il montre ensuite l'escalier d'un geste las.

— Mets-les au 11 et au 12. Les radiateurs sont solides. S'ils bougent une oreille, une seule, je leur ouvre le ventre.

Bornalin proteste :

— Dis, Boiteux, tu ne vas pas nous laisser avec cette bique folle ? Il va nous dépecer vivants !

Il en a des tremblements dans la voix. Dans son coin, Giraud, lui, semble prêt à vomir.

Je hausse les épaules.

— Youssef est un hôtelier consciencieux, Bornalin ; il prend toujours soin de ses clients...

Le Tunisien émet un ricanement inquiétant. Avec sa barbe de deux jours et ses bandages tachés de sang, il ressemble à un Tchétchène couvant deux soldats russes.

— J'ai pissé... Je crois que j'ai pissé dans mon pantalon...

Giraud me regarde, mi-stupéfait, mi-dégoûté. Il se tient légèrement plié en avant et n'ose pas regarder ses cuisses où une tache sombre va s'agrandissant.

— Je n'ai rien à te dire, Boiteux, tu ferais mieux de me laisser tranquille.

Bornalin est menotté à sa chaise. Le petit lustre éclaire le dessus-de-lit miteux et les meubles bancals. Au-dessus du lavabo, une glace étoilée tient par trois vis. L'étagère a été remplacée par une planchette et les fils du néon réparés au scotch vert. Un mince filet d'eau coule du robinet.

J'écarte le voilage et j'observe un instant le périphérique. Il y a peu de circulation. Presque à portée de bras, un camion passe en faisant vibrer les vitres et, dans l'autre sens, deux voitures tentent un record à trois chiffres. Une seconde, les phares blancs illuminent la fenêtre et découpent en ombre chinoise la ferraille des glissières. La lumière retombe puis une moto se présente à son tour; un éclair jaune qui balaie la pièce puis file à pleine vitesse vers Seilans.

— Tu ne pouvais quand même pas tous les tuer...

— Tuer qui ?

Il joue les innocents, la mine goguenarde. Je laisse retomber le voilage. Sue avait raison : ce périphérique est à déconseillé aux dépressifs.

— Larget, Sue, Ocelli, Cauchart. Je te les donne dans l'ordre des découvertes.

Il émet un long sifflement.

— Quatre, rien que ça.

— Exact, quatre mais trois femmes. Le seul qui aurait pu vraiment te résister était Cauchart. Et Cauchart, je suppose que tu l'as tué par-derrière.

Il rigole.

— Tu penses que je vais te raconter, Boiteux ?

— Pas la peine. Entre ce que je sais et ce que je vais lire dans les papiers de Cauchart, je peux me passer de toi. Sans compter Giraud. Plus il a peur et plus il est bavard. Et tu as pu te rendre compte qu'il n'a jamais eu aussi peur de sa vie... Sauf peut-être le soir où tu as bousillé sa voiture et éclaté sa baie vitrée. Tu te souviens ?

Bornalin baisse la tête, d'un seul coup maussade. Avec un petit soupir, je m'assieds au bord du lit.

— J'aurais dû comprendre plus tôt... enfin, à ma décharge, tu allais vite et j'étais obsédé par Cauchart. Toi aussi d'ailleurs. Pas vrai ?

— Tu perds ton temps.

Je soulage un peu ma cheville. L'heure des cachets est largement passée, et, fidèle, la douleur monte en puissance. La mémoire du corps.

— Cauchart m'avait dit la même chose. Ce n'est pas grave. En vieillissant, je m'aperçois que, dans certains cas, le temps perdu n'existe pas. Il y a des choses qu'on ne peut comprendre qu'après s'être trompé.

Il secoue la tête.

— Tu débloques complètement... comme toujours, d'ailleurs.

— L'erreur mène aussi à la preuve, Bornalin.

— Fêlé, tu es fêlé...

Je souris :

— Moins que toi. L'idée de se servir de Giraud vient de qui ? De ta cervelle pourrie ou de quelqu'un d'autre ?

Il ne répond pas et je poursuis :

— Sans doute de toi. Tu avais dû le coincer dans une des histoires véreuses dont tu as le secret. Ensuite, tu lui as fait faire ce que tu voulais.

— Ah. Et quoi par exemple ?

— Simple. Tu lui demandais de déclencher un contrôle fiscal sur certaines personnes. Des personnes que tu voulais mettre à contribution pour le MNPF ou d'autres qui se faisaient un peu tirer l'oreille pour verser leur obole. Tu stoppais Giraud quand tu voulais... enfin, presque. Pour Cauchart, tu n'as pas eu de chance.

Il ricane.

— Tiens donc... Pourquoi ?

— Parce que Giraud est tombé malade et que pour lui rendre service, Marie-Claire Larget a repris le dossier. Et

Marie-Claire Larget n'est pas quelqu'un à qui on peut faire comprendre que, finalement, il vaudrait mieux laisser tomber... Tu vois, on a quand même des points communs...

Cette fois, il fait semblant d'être passionné :

— Extra... et lesquels ?

— On a tous les deux sous-estimé Cauchart. Cauchart est un type coriace, un type qui s'est toujours battu et qui sait se défendre. Il fait des dossiers, il marque ce qu'il doit aux uns, donne aux autres. Pas le genre à se laisser intimider par un Bornalin. Même avec Sue. Tu connaissais Sue, Bornalin ?

— J'ai fait sa connaissance une heure après sa mort.

Je ris doucement.

— Viviane Ocelli ?

— Pareil.

— Très drôle... Enfin, là encore, cela sera facile de trouver des liens entre toi et *La Pagode*. Je pense même que Viviane Ocelli a installé son petit commerce à Forgette sur ton conseil. Tu espérais sans doute renouveler un peu tes moyens de pression... cela doit être ça... Giraud donnait des signes de fatigue et, finalement, une bonne petite affaire de mœurs peut avoir les mêmes effets qu'un chantage fiscal : ramasser de l'argent pour le MNPF... et pour toi.

Bornalin lève les yeux au ciel :

— Du roman, Boiteux...

— Qui tourne mal... quand Cauchart te prévient que si tu continues ce petit jeu avec lui, il ne sera pas seul à faire la Une des journaux, tu paniques : il faut à tout prix le calmer. Et calmer Cauchart, c'est arrêter l'enquête sur la SCI. Marie-Claire Larget ne veut rien comprendre : premier meurtre.

— Tu me fatigues, Boiteux, j'ai sommeil.

— Tu auras le temps de dormir en prison... Dis-moi, est-ce que Benoît t'avait vu avec sa mère ?

Il s'énerve brusquement et tente de se dégager :

— Fous-moi la paix avec tes questions ! Tu n'as pas le droit de me garder ici ! Tu entends ?

— Cela doit être une histoire comme ça... tu terrorisais ce gosse parce qu'il savait quelque chose sur le meurtre de sa mère, quelque chose qui pouvait me faire remonter jusqu'à toi... comme tu terrorisais Giraud... et Boileau... une vraie manie chez toi de faire peur aux gens.

— Ferme-la, Boiteux...

J'ai un regard pensif pour le gros policier, ses traits épais, son corps d'ancien catcheur habitué aux coups tordus et aux matchs truqués. Rien de plus facile que de faire peur aux gens : un peu de brutalité, une pointe de folie, et un mental de rat.

— Au fait, Bornalin, c'est bien Boileau qui t'a prévenu de la fuite de Cauchart ?

— Merde !

— Bien sûr, Boileau... le samedi, quand nous sommes arrivés, il parlait au téléphone... plutôt, il te parlait. Ce gars-là ne doit pas être blanc-blanc... une fille handicapée, une BMW rouge et un penchant pour la bouteille, c'est beaucoup pour un comptable, non ? Tu le connais depuis longtemps, Boileau ?

— Ta gueule !

Bornalin force sur ses menottes et s'agite dangereusement.

Je crois utile de le calmer.

— Si tu tombes, tu restes par terre, alors respire... respire...

— Ça pue, dans cette piaule.

— Ça aussi, on me l'a déjà dit... c'est drôle, Bornalin, Sue t'avait également téléphoné... et de cet hôtel... non, je me trompe, Sue avait téléphoné à Viviane Ocelli, sa marraine... elle n'en pouvait plus la pauvre petite... un faux témoignage, c'est lourd à porter, surtout seule. À elle aussi, tu faisais peur. En tout cas suffisamment peur pour qu'elle accepte de raconter ce que tu voulais.

Il hausse les épaules.

— Tu me prends pour Frankenstein, ma parole...

— Je te prends pour ce que tu es : une pourriture qui sait très bien choisir ses victimes. Une lavette fiscaliste, un comptable alcoolique, une petite pute sans cervelle, un gosse orphelin... du glorieux... du gros gibier... Je me demande si Viviane Ocelli se contentait de t'aider ou si elle te conseillait...

Il ne répond pas et je poursuis après quelques instants de silence. Le temps de revoir la veuve sur le seuil de *La Pagode*, tenant sa porte et m'envoyant sur les roses.

— Vous deviez bien vous entendre tous les deux... une vraie carne, cette femme-là... Après le coup de téléphone de Sue, elle t'a immédiatement prévenu. Tu devais être chez toi... de ton appartement à cet hôtel, pas plus de dix minutes, j'ai vérifié en venant... tu n'as pas dû hésiter longtemps. Sue était dangereuse, incontrôlable, trop bête et trop fragile... en plus, quand on a un coupable comme Cauchart, on peut lui mettre sur le dos autant de crimes que l'on veut. Toujours lui qui prend et il prend d'autant plus volontiers qu'il est mort. Quand as-tu tué Cauchart, Bornalin ? Le samedi après-midi ? Dans la nuit ?

— Je te ferai fermer ta gueule, Boiteux, je te le jure...

Je me lève tranquillement.

— Je sais, c'est ta méthode, le grand nettoyage... tu es comme tous ces idiots qui pensent que les morts ne parlent pas. Ils parlent, Bornalin, ils parlent mais pas de la même manière que les vivants... Bon, maintenant, tu m'excuses, je vais aller regarder ces dossiers qui t'ont tant fait courir.

— Tu vas être déçu.

Je hausse les épaules.

— La vie est pleine de déceptions. Toi-même, tu n'es qu'une déception : une monstrueuse et dangereuse déception.

LE TEMPS RESTE au beau. Il n'est pas neuf heures et le ciel offre déjà ce bleu-gris qui accompagne souvent les matinées de printemps. Je marche vers la rue des Parmes, croisant de rares piétons, à peine gêné, aux carrefours, par une circulation tranquille. Le calme du lundi. Il est vrai qu'en province, on ne commence pas les semaines, on termine ses dimanches.

Au coin de la rue Millet, deux hommes discutent devant l'épicerie, le cartable à la main, la cigarette en bouche. À leurs pieds, des pigeons se dandinent, picotant des miettes, tellement gris, tellement gros, qu'ils semblent les descendants prospères d'une lignée de notables. Les vrais habitants.

Je bifurque place Thiers et je longe les halles. Les cageots forment là un édifice branlant qu'un clochard inspecte pour varier son menu. Une habitude plus qu'une nécessité : l'homme a les cheveux mouillés d'une douche en foyer, des estafilades de rasage, un sac Cyrillus avec un pain complet. Derrière lui, une femme, petite, menue, en imperméable beige, traverse en serrant son cabas sur sa poitrine maigre. Elle accorde un regard d'aveugle au clochard et disparaît dans une impasse.

Rue Boileau, rue Molière. Les grands noms ne font pas les grandes rues et les façades grises succèdent aux petits immeubles moches, aux maisons étroites, aux magasins sans goût. Ce quartier ne ressemble à rien. Construit après le bombardement, il en attend un deuxième pour retrouver un style.

Je traverse l'avenue de la République et je coupe par le quartier piéton. L'orgueil de Seilans. Une douzaine de panneaux expliquent la circulation, des bornes limitent l'accès, des feux ventilent l'entrée. Ici, le Moyen Âge se consomme fléché et même les plaques d'égouts ont droit aux fleurs de lys. La place des Foires est le fleuron du site : adossée à dix mètres de cloître, elle alterne un bar, un restaurant, une crêperie, un pub. Des chaises en terrasse complètent le dispositif et gênent la progression en squattant le pavé. La banlieue trouve ça chic. La campagne trouve ça cher. Les touristes s'en moquent. À moins de tomber en panne au bord de l'autoroute, les cars d'excursions évitent la région. Ils ont tort : depuis deux mois, le musée des Fossiles a rouvert ses trois salles.

Rue des Parmes, le nouvel Hôtel de Police rutile au soleil. J'avance avec moins d'entrain, observant le mélange de verre, de pierre et d'aluminium qu'un architecte asiate a bricolé sur place. Vu de loin, le bâtiment hésite entre la concession Ford et la capitainerie. Vu de près, l'aquarium remporte les suffrages.

Les portes automatiques libèrent l'entrée. Le planton de service m'adresse un salut machinal et j'entame la traversée en direction de l'annexe. Quelques sourires, des poignées de main, des jambes un peu épaisses sous un parfum trop fort. Puis, après une double porte, je quitte la moquette pour du parquet crasseux. Destination : mon antre.

— Chassagne a appelé, Vocker également. Gallot est passé. Il y a aussi Fayolle qui te cherche.

— La paix, Granier.

Mon adjoint me suit dans mon bureau. Il a l'air de mauvaise humeur et avance vers moi un front de légionnaire en test d'effort. Il me tend une liasse de feuilles.

— Les PV de samedi. Ne me remercie pas, j'ai tout fait.

— Des insomnies ?

Il hausse les épaules.

— Après un week-end pareil, les lundis sont toujours à craindre. J'ai préféré prendre de l'avance.

— Que disent les journaux ?

Son regard s'éclaire.

— Que Fayolle est un grand flic, Chassagne un dieu vivant. Accessoirement, que Cauchart a tué trois personnes avant de se donner la mort. Les titres vont de « Folie meurtrière à Forgette » à « La spirale sanglante du promoteur acculé ». J'ai un faible pour la spirale.

— Fayolle a été rapide...

Granier se met à rire :

— Tu peux le dire. Dans le genre fuite organisée, on ne peut pas faire mieux. Personne n'a rien dit à personne mais tout le monde est content. Les journalistes parce qu'ils ont eu une information par la bande, et Chassagne pour la publicité gratuite. L'atterrissage risque d'être brutal.

Je m'installe à mon bureau, fouillant dans mes papiers.

— Tu as étudié les dossiers de Cauchart ? questionne encore Granier.

— Survolé.

— Alors ?

Je le fixe, maussade.

— Des chiffres, des dates et des noms. En code.

Mon adjoint se laisse tomber sur un des sièges.

— En code... merde ! On va perdre un temps dingue... Bornalin était quoi là-dedans ? Le porteur de valise du MNPF ?

Je lui résume ce que je sais. Cela dure un moment et lorsque je me tais, mon adjoint considère la fenêtre sans plaisir. La vue n'a pas changé et le parking occulte toujours une lumière qu'on peine à imaginer vive. Il fait pourtant beau et, là-haut, en sortie de cour, mon carré de ciel reste azuréen.

Granier grimace :

— Tu ne vas pas pouvoir garder longtemps Bornalin et Giraud hors de la circulation.

— Non.

— Alors ? Qu'est-ce que tu comptes faire ?

J'ai un sourire sans joie :

— Un seul nom apparaît en clair et à plusieurs reprises dans les papiers de Cauchart : celui de Jean-Luc Javion, adjoint aux Affaires sociales à la mairie de Seilans. On va s'en servir.

— Javion ? Connais pas.

— Un brun frisé comme un mouton avec des lunettes acier genre Ray-Ban... un commercial reconverti dans la rente municipale. On l'a interrogé pour Cauchart.

Mon adjoint se souvient :

— Un rendez-vous à *La Vigie*... Cauchart l'attendait sur le terrain et lui était à Paris... Bon ! comment procède-t-on ?

— Par Bornalin. Il va prendre contact avec Javion et tenter de monnayer les dossiers de Cauchart. On verra bien la réaction.

— Vocker ?

J'ai une moue sceptique.

— Pourquoi Vocker a-t-il remplacé Clareti, Granier ? Clareti était un juge honnête et qui faisait honnêtement son travail. Vocker, lui, est un vieux routier qui a choisi son camp depuis longtemps. Vocker a imposé Bornalin pour l'enquête. Ou quelqu'un de plus haut placé a conseillé à Vocker d'employer Bornalin. Non, pas Vocker, ou alors, le plus tard possible.

— Cela promet de l'animation...

Le téléphone sonne sur cette perspective.

— Déveure ? Gallot à l'appareil. Si tu veux du nouveau et du frais, tu passes au labo.

— Maintenant ?

— Tout de suite ou jamais, Boiteux. J'ai des consignes très précises de Vocker : rien dire à personne sur rien et surtout pas à toi.

Le couloir qui mène au laboratoire semble s'enfoncer vers les caves. Une odeur de désinfectant flotte dans l'air et une lumière de coursive favorise les ombres.

Une série de portes puis un escalier en ferraille rattrape un autre bâtiment. En haut des marches, je pousse brutalement un battant marqué d'un panonceau « Entrée interdite ».

— Salut, Gallot !

— Raté. Je t'ai entendu venir.

Le scientifique est penché sur une machine à café. En blouse blanche, il tient une tasse à la main et tente de récupérer le jet brûlant qui s'écoule de l'appareil. D'après ce que je vois, la manette tient par un fil de fer et le capot a été scotché au sparadrap. À côté, sur la tablette, du café moulu tient compagnie à du papier toilette. Sans surprise, le Lotus extra-doux sert de filtre.

— Une seconde, je suis à toi.

Le bruit s'amplifie et un nuage de vapeur s'échappe du dispositif. Puis les gargouillis se calment en même temps qu'un jet noirâtre se transforme en goutte à goutte. Quelques secondes encore et le laborantin se retourne, sa tasse à la main.

— Un expresso, un !

Son mouvement est trop brutal et du café brûlant gicle de la tasse.

— Merde ! mon pantalon...

— Attention, ça coule, Gallot...

Il grogne, pousse un juron.

— Saloperie ! je me brûle...

— Tu avais des choses à me dire ?

Derrière ses verres, son regard me fixe avec rancœur.

— Tu as vu ce que cette dingue m'a fait ?

Il me montre son crâne clairsemé où une traînée de teinture d'iode zigzague entre ses mèches sales.

— On dirait que tu as moins de pellicules.

— Et ça !

Il gonfle ses joues et met en valeur trois sillons nets et rouges. Tête de lapin avec traces de griffes.

— Et je ne te parle pas du bain dans la Bièvre ! J'ai une crève à confondre le jour et la nuit, un nez qui ne coagule plus et un tchic-tchic à la place du cerveau. Mais ça, tu t'en fous.

— Ça va, Gallot, mets-toi un peu à sa place...

Il rajuste ses lunettes, une expression indignée sur le visage.

— À la place de cette folle ! Et puis quoi, encore ? Je suis un scientifique, pas un psychiatre !

— Tu avais quelque chose à me dire, Gallot ?

J'ai un coup d'œil lassé pour la pièce, la table en tréteau surchargé de dossiers, la paillasse encombrée de vieux appareils, de produits chimiques, de cartons, d'éprouvettes en attente. Par chance, la porte du labo est repoussée et le verre dépoli ne laisse voir que la forme diffuse d'une table d'auscultation. Il grogne, sans quitter la porte des yeux :

— Mouais, mais ça m'embête d'aider cette fille.

— Varie tes obsessions. Alors ?

Il hoche la tête, pose sa tasse sur le bureau.

— L'autopsie de son père, justement. On l'a faite ce matin à 7 heures Autant dire qu'on en sort.

— Bravo. À part ça ?

— À part ça, plein de choses. Pour commencer, le suicide ne tient pas et Fayolle peut s'asseoir sur sa promotion. Je m'en doutais un peu parce que la rigidité cadavérique des jambes ne correspondait pas avec celle du haut du corps, qui elle-même ne correspondait pas avec celle de quelqu'un de vivant dimanche, à onze heures du matin.

Je soupire, cherchant un siège des yeux.

— Si cela ne te fait rien, je vais m'asseoir. Ton expression orale nécessite toutes mes facultés et je n'ai plus rien pour me tenir debout.

— Prends cette chaise. Tu veux un café ?

Mon regard trouve la cafetière, le paquet de Legal et le papier hygiénique.

— Sans façon. Continue, Gallot.

Le laborantin ne se formalise pas. Avalant une gorgée de sa tasse, il commence à faire les cent pas comme un chimiste en cours magistral. Sa voix suit le mouvement, à la fois nasillarde et pontifiante.

— Confirmant ce problème de rigidité, l'autopsie a mis en évidence des lividités cadavériques sur le cou, le bas-ventre et les parties latérales des membres. Les zones de prises ne montrent rien de particulier. Deux hématomes sont visibles, l'un en haut de l'épaule droite, le deuxième sur la hanche, du même côté. L'étude biologique maintenant : nous n'avons pas trouvé de diatomées dans les poumons.

— De quoi, Gallot ?

Il soupire :

— Des algues minuscules, si tu préfères. Par contre, nous avons établi la pupaison de la *Calliphora vicina* R.D. et compte tenu du cycle de la mouche précitée et des températures diurnes et nocturnes relevées ce week-end, nous... qu'est-ce que tu as ?

— Je vais te péter tes lunettes.

Je me suis levé et le laborantin s'affole :

— Mais pourquoi ?

— Parce que tu te fous de moi et que j'ai autre chose à faire qu'à te regarder faire le paon.

Il recule vers la paillasse, agitant des mains de naufragé.

— Calme-toi, Boiteux, calme-toi... je vais résumer... je te jure...

Je marque la pause, son nez à portée de poing.

— Je t'écoute.

— Une balle, on a trouvé une balle à la radiographie, du 7,65. On a eu du pot, elle était plantée dans le pariétal.

— Une balle...

— Oui, une balle, répète le scientifique, ce qui signifie que Cauchart a été tué de face, très probablement samedi entre 13 heures et 15 heures. Il a ensuite été gardé au sec jusqu'au dimanche après-midi.

— L'heure ?

Il secoue la tête.

— Difficile à dire. En tout cas, il n'est pas resté dans l'eau plus de quatre ou cinq heures.

— Le coup de fusil ?

— Juste avant de le jeter dans la rivière.

Je retourne m'asseoir en souriant.

— Tu vois que tu peux être clair et concis... une idée de l'endroit où Cauchart a été gardé entre sa mort et son bain ?

— Pas vraiment...

— Un coffre de voiture ?

Il acquiesce, se repositionne devant sa machine à café.

— Possible. La rigidité cadavérique des membres inférieurs a été rompue avant qu'on le mette à l'eau. Le type a dû faire ça soit en le sortant de l'endroit où il était, soit en le transportant jusqu'à la Bièvre.

Je garde un moment le silence, observant le laborantin préparer sa machine pour une deuxième infusion.

— Il peut y avoir une autre raison à cela, Gallot. Il peut s'agir de la volonté délibérée de donner au corps une attitude conforme à une tentative de suicide.

— Exact. Maintenant, comment expliques-tu que vous ayez vu Cauchart vivant samedi soir alors qu'il était mort ?

J'ai un haussement d'épaules :

— Tout simplement parce que je ne l'ai pas vu. Ceux qui ont dit le contraire ne le connaissaient pas. Ils ont aperçu une BMW rouge et quelqu'un dont le signalement pouvait correspondre à Cauchart. C'est tout.

Gallot glousse et enclenche sa machine.

— Encore un détail, Boiteux : Vocker tient beaucoup au suicide. Beaucoup.

Je me lève péniblement, soulageant autant que possible ma cheville douloureuse.

— Et alors ?

— Alors, je vais faire mon rapport mais il y a de grandes chances pour que la balle passe au Corrector.

— Bien compris... Ton café coule par terre...

Gallot jure et tente de rattraper le liquide fumant. Trop chaud. Il se brûle et lâche son gobelet avec un gémissement. Le cri qu'il pousse ensuite ne peut rien pour ses chaussures neuves.

Un fumet à base de cuisine au vin flotte sur le palier. Perplexe, je renifle sans reconnaître, plus habitué à respirer ici des odeurs de chenil et des remugles d'asile. Mon coup de sonnette provoque de l'agitation, un appel, des aboiements, puis la porte s'ouvre en grand.

— Ah ! C'est vous...

Le vieux Perrot est déçu et son sourire de suceur de cannes disparaît. Au niveau inférieur, son chien me renifle furieusement les bas de pantalons.

— Benoît est là ?

Il hoche la tête. À cette heure, mon voisin protège ses loques d'un tablier de cuisine, un modèle bleu, blanc, rouge avec des poules et des poussins. Il s'est également coiffé, une raie impeccable qui aère sa pelade d'un sillon cramoisi.

— Il surveille la blanquette. Je croyais que c'était sa grand-mère. Va coucher, Rex !

Le berger file, échine basse.

— Elle doit venir ?

— Pour déjeuner. Avec Benoît, nous l'avons invitée. Nous avons fait une blanquette de veau à l'ancienne et un gâteau au chocolat. Entrez.

Le hall est petit, décoré de placage faux chêne surmonté d'une tapisserie beige à motifs têtes de cerfs. Entre chaque trophée, une guirlande de feuilles verdâtres relie les décapités. Par terre, des piles de vieux journaux s'entassent, alternent avec des cageots vides et des cartons de chiffons. Un balai et un seau tiennent un coin et un aspirateur au capot démonté expose son moteur poussiéreux sur la table du téléphone. Au-dessus, un calendrier des pompiers fait du surnombre sur le clou du baromètre.

— Benoît va très bien, vous savez. Il a dormi comme un bébé.

— Parfait.

Dans le couloir, j'évite deux cantines militaires et un caddie rempli de bouteilles. Au mur, une collection de masques à gaz et des photos de cuisiniers en toque. Quelques vieux fusils, un sabre et des confituriers occupent les places vides.

Le plan de l'appartement ressemble au mien et je trouve facilement la cuisine. L'odeur est plus forte, la chaleur également. Carrelée de rouge, la pièce est meublé d'éléments en formica jaune et noir. L'évier déborde de vaisselle et la table disparaît sous les assiettes et les plats.

— Salut, Benoît.

Le gosse est en jogging. Très rouge, il se tient devant l'énorme gazinière et mélange avec précaution une sauce épaisse et blanche.

— Encore deux minutes et ça va sonner.

Il rajuste ses lunettes et fixe un minuteur en forme d'œuf. Au-dessus, une horloge marque 12 h 10, ses poids bien remontés.

— Pardon, monsieur Déveure.

Le vieux me pousse et je me recule contre la table. Un grognement sourd me bloque dans mon mouvement.

— Attention à Rex, monsieur Déveure, il est moins poli que moi.

— Il a surtout de meilleures dents.

Le vieux Perrot hausse les épaules et rejoint Benoît. D'un œil professionnel, il juge le brouet.

— C'est bon. Verse ta sauce dans le plat et dépose ensuite ta blanquette.

Benoît proteste :

— Mais ça n'a pas sonné !

— Ça va sonner. Allez, dépêche-toi, je m'occupe des jaunes d'œufs.

Le gosse s'exécute, la langue sortie, la main un peu tremblante. Il termine son nappage lorsque le minuteur se déclenche.

— Ah ! tu vois, triomphe le vieux ; juste dans les temps. Passe-moi le jus de citron, là.

Je ne me sens pas inutile mais presque. Il y a du grand-père et du petit-fils dans ce que je vois. L'un a perdu vingt ans et l'autre retrouvé ses dix ans. Ou presque. Benoît garde encore le visage maigre des convalescents et ses gestes ne cachent pas la faiblesse de ses muscles. Mais le regard est là.

— Tu vas en manger ou tu ne fais que cuisiner, Benoît ?

Le vieux Perrot me fusille du regard.

— Bien sûr qu'il va en manger ! Vous croyez qu'on se donne tout ce mal pour le jeter à la poubelle ! 1 kg de tendron, d'épaule et de poitrine premier choix, ce sera à peine suffisant pour quatre.

— C'est gentil de me compter.

Il émet un gloussement.

— Ça, ça dépend du petit...

Benoît se détourne un instant de ses casseroles.

— Moi, je veux bien si tu ne fais pas comme à l'hôpital avec la viande.

— D'accord.

— Et si tu ne parles pas de ton travail.

— Pour ça, réponds d'abord à une question.

Le gosse hésite, un peu inquiet.

— Et tu diras à grand-mère que je peux rester ici aujourd'hui ?

— Je lui dirai si tu me réponds.

Il capitule en soupirant.

— Ça marche. Alors, la question ?

— Que s'est-il passé avec Bornalin avant que ta maman disparaisse ?

— Bornalin... avant... avant que maman disparaisse ?

Sa voix chevrote. Il bat des paupières derrière ses gros verres et son visage se brouille. Finalement, il se détourne vers la cuisinière.

Devant l'évier, le vieux s'agite avec ses sauces, une louche à la main, la bouche mâchouillant nerveusement son mélange.

Il s'interrompt pour me regarder.

— C'est l'ennui avec vous, M. Déveure, vous êtes brutal même avec les enfants. Je comprends que vous soyez seul.

J'ignore ses réflexions.

— Benoît...

— Non...

Je m'approche doucement de l'enfant. Arrivé derrière lui, je me penche et d'un geste brusque, je baisse son pantalon. Benoît pousse un cri et le vieux sursaute en piaillant :

— Mais vous êtes fou ! Laissez cet enfant !

— Non, non, sanglote Benoît.

Il tente de s'échapper mais je le prends par les épaules. D'une main ferme, je l'oblige ensuite à me montrer ses jambes :

— C'est lui qui t'a fait ça, n'est-ce pas ?

Il ne répond pas et préfère fermer les yeux. Le vieux balbutie, fixant les cuisses maigres couvertes d'hématomes :

— Mais... mais... qu'est-ce qu'il a ? On l'a battu ?

— Exactement. C'était à l'hôpital, Benoît ?

Le garçonnet ne répond pas. Il remonte brusquement son jogging et s'enfuit de la cuisine.

— Benoît !

Il est enfermé dans les toilettes. À travers la porte, je l'entends pleurer doucement. Cela fait un petit bruit de fuite, un petit bruit qui va bien avec l'endroit. Je le laisse tranquille. J'ai renvoyé le vieux Perrot à sa blanquette et j'attends, appuyé au mur du couloir. Le gosse ne risque rien : il n'y a pas de fenêtre.

— Benoît ?

Il renifle, ne répond pas. Au vrai, je pourrais abandonner et me passer de ses réponses. Je sais l'essentiel. Les détails peuvent venir plus tard, par recoupements, par d'autres. Mais je sens que Benoît a besoin de parler. Je sens qu'il faut qu'il parle. Il s'est tu trop longtemps et s'il garde encore le silence, il mettra des années à s'en sortir.

— Ouvre, Benoît.

— Non.

— Ouvre ou je fais comme Mortrek.

Le nom magique. Il faut quand même quelques instants avant que le garçonnet ne morde à l'appât.

— Qu'est-ce qu'il fait, Mortrek ?

Si seulement je le savais.

— Ferme les yeux et compte jusqu'à dix.

— Et à dix ?

— La porte sera ouverte.

Je fouille dans ma poche. Je ne suis pas passionné par les gadgets mais celui-ci ne me quitte jamais.

— Pas vrai.

— Ferme les yeux et compte à haute voix.

Le gosse égrène les chiffres.

— Un, deux, trois... sept, huit, neuf, dix.

La targette coulisse sans effort et j'ouvre la porte. Benoît me fixe, les yeux ronds. Il est assis sur le couvercle rabattu et tripote nerveusement le dévidoir à papier.

— Allez, viens.

— Comment tu as fait ?

Je souris :

— Mortrek ne donne jamais ses secrets. Ou alors contre d'autres secrets.

— D'autres secrets...

— Oui... Que s'est-il passé avec Bornalin, Benoît ?

Il se tasse sur les toilettes. L'endroit n'est pas terrible, peint en vert, à peine propre, mais il en vaut un autre. Je m'accroupis devant lui.

— Il est venu chez toi ?

— Non...

— Alors ?

Il fixe le papier qui tombe jusqu'au sol. Du Lotus extra-doux comme celui de Gallot.

— Le dimanche... le dimanche avant que maman soit morte... il a téléphoné.

— Bornalin ?

Il a un léger signe de tête.

— Avant le bain... c'est moi qui l'ai eu. Il voulait parler à maman et j'ai été la prévenir. Il lui a donné un rendez-vous pour le lendemain matin, j'ai entendu. Maman n'était pas très contente.

— Du coup de téléphone ?

— Oui, et aussi parce qu'elle m'avait puni pour mon travail et pour ce que je lui avais dit...

— Qu'est-ce que tu lui avais dit ?

Le gosse se tait, les épaules de plus en plus voûtées.

— Benoît...

Le garçonnet secoue la tête, renifle. Puis il se laisse aller :

— Je n'avais pas fait mon travail... un problème... alors, elle m'a privé de Mortrek à la télé... je... je lui ai dit... que je la détestais... et que je... je voulais...

— Tu voulais quoi ?

Il murmure, la voix blanche :

— Qu'elle soit morte... je voulais qu'elle soit morte...

Je lui prends doucement les genoux. J'imagine la scène, la dispute et les mots prononcés sans même s'en rendre compte. Et le lendemain...

— Tu l'avais raconté à Bornalin ?

Il acquiesce.

— Il est venu à l'hôpital... il m'a demandé si je me souvenais de son nom et j'ai répondu que oui, que c'était lui qui avait téléphoné à maman le dimanche soir. Il m'a dit que c'était très bien, que j'avais une très bonne mémoire, que ma maman serait très fière de moi. Je lui ai dit que non... et je lui ai raconté ce qui s'était passé pour Mortrek et... le reste.

— Qu'est-ce qu'il t'a dit ?

— Que... que j'avais raison... que c'était à cause de moi que ma mère était morte... que je l'avais tuée... il a dit qu'il serait obligé de me dénoncer si j'en parlais à quelqu'un, aussi si je prononçais son nom... Il disait que toi, tu ferais tout pour me mettre en prison. Lui, il était de la vraie police, la secrète. Il voulait bien m'aider mais il fallait que je lui raconte ce que tu me disais, tout... quand je ne voulais pas, il me tapait sur les jambes... très fort... il répétait tout le temps que c'était de ma faute... qu'il y avait des choses qu'il ne fallait jamais dire... que j'étais un monstre, une sorte de diable... il me parlait de maman... il disait que dans sa tombe, elle devait me détester... qu'il aurait mieux valu qu'elle n'ait jamais de fils, jamais !... que...

Il ne peut pas aller plus loin. Lunettes embuées, il se recroqueville comme un hérisson dans un phare de voiture. Je le récupère en douceur et je le berce en lui parlant.

— Ça ira, Benoît, ça ira... tu n'es pour rien dans cette histoire. Mortrek ou pas Mortrek, punition ou pas punition, le coupable, c'est Bornalin et uniquement lui. Il te faisait peur, il te battait pour que tu te tiennes tranquille. C'est tout. Et si tu n'avais pas eu peur, il t'aurait tué, comme ta mère.

Le gosse se raccroche désespérément à moi.

— C'est lui ? C'est bien lui ? Tu es sûr, c'est vrai, tu ne mens pas ?

— C'est lui, ne t'inquiète pas.

— Tu l'as arrêté ? Il est en prison ? C'est vrai ?

Je le rassure encore :

— Tu n'as plus rien à craindre. C'est fini. Bornalin est un assassin, mais il ne te fera plus jamais de mal. C'est terminé.

Le vieux Perrot croit utile d'intervenir. En retrait dans le couloir, il n'a pas perdu un mot de la conversation.

— Vous pourriez lui dire que sa mère l'aime toujours, monsieur Déveure. C'est quand même le plus important.

Il se penche vers les toilettes et martèle avec sa cuillère de bois :

— Une mère aime toujours son enfant, Benoît, quoiqu'il fasse, quoiqu'il dise ! Vous êtes d'accord, monsieur Déveure.

— Je suis orphelin mais je crois que vous avez raison. Tiens, Benoît.

— Qu'est-ce que c'est ?

Je me mets à rire.

— Le secret de Mortrek pour ouvrir une porte de WC en dix secondes : un aimant.

La grand-mère de Benoît étouffe un léger renvoi. Elle a les joues rouges, le front perlé de sueur, les yeux vagues derrière ses lunettes. Sa permanente a des faiblesses et son chemisier brodé, une large dégoulinade de sauce. À sa gauche, le vieux Perrot frôle l'apoplexie. Il scrute le plat vide d'un œil comateux, dodeline de la tête, la bouche béante sur un appareil dentaire encombré de débris. Benoît, lui, est allé se reposer. Il a goûté un peu de blanquette et presque terminé sa part de gâteau. Il voulait rester à table, mais j'ai échangé sa sieste contre une promenade vers cinq heures. Tous les deux.

La vieille dame lève une main incertaine. Son regard s'égare un instant sur la minuscule salle à manger, le buffet vieillot, les deux renards empaillés sur le haut d'une étagère, puis se fixe à son tour sur le plat vide.

— La ganache, monsieur Perrot, vous la faites avec de la crème fleurette ?

Le vieux Perrot opine doctement de la tête.

— Un demi-litre, et 700 grammes de chocolat... Pour la génoise, il faut dix œufs... oui, dix œufs, madame Larget... 300 grammes de farine, 300 grammes de sucre semoule, un paquet de levure... 25 grammes de poudre de cacao... pour le cacao, vous pouvez aller jusqu'à 30 grammes.

— C'est le montage qui doit être difficile.

Il approuve, le menton un rien baveux, l'élocution crachotante :

— Le montage... c'est l'art du pâtissier, madame Larget... des années que je n'avais pas cuisiné... ça ne s'oublie pas... demain, j'apprendrai à Benoît la crème mousseline... on fait beaucoup de chose avec la crème mousseline...

— Mais la ganache, monsieur Perrot, vous la montez au fouet ?

— Dans un cul de poule et au fouet... mais à feu doux... très, très doux... Quand elle est bien montée, je tartine, je tartine... Ensuite, je passe à la deuxième abaisse, puis à la troisième... et je garde de la ganache pour le glaçage. Et aussi pour la poche à douille cannelée... oui, la poche à douille cannelée... pas l'oublier... sinon, votre gâteau ne ressemble à rien.

— Et pour la génoise, monsieur Perrot ?

Je me lève lourdement. Quelque chose me dit qu'il est temps de retourner à mes propres fourneaux. Au reste, Benoît semble entre de bonnes mains, même si elles sont un peu tremblantes.

— L'hôpital ne vous a pas fait trop d'histoires, madame Larget ?

La vieille dame étouffe un petit rire :

— Ils ont dit qu'ils allaient envoyer la police chez moi...

Je grimace, pas vraiment content.

— Il vaut mieux que Benoît dorme encore ici cette nuit. Cela ne vous dérange pas, monsieur Perrot ?

Le vieux hausse les épaules :

— Les enfants me dérangent moins que les adultes... Je ne parle pas pour vous, Mme Larget... vous, vous êtes une femme, et une femme, c'est comme un coulis sur un sorbet, une praline dans un chocolat...

Ses yeux injectés se mouillent un peu plus, se risquent à l'œillade. La grand-mère de Benoît rosit sous sa poudre de riz.

— Monsieur Perrot...

Je quitte la pièce, légèrement nauséeux.

La porte de l'ascenseur s'ouvre à la volée. Mon adjoint s'éjecte ensuite de la cabine et manque de me faire tomber.

— Calme, Granier, je suis là.

Il a le crâne en sueur, un rictus à la place du sourire.

— Justement, c'est toi que je cherche. Je ne suis pas le seul, d'ailleurs. Vocker, Fayolle et quelques autres sont sur mes talons.

— Qu'est-ce qu'ils veulent ?

Il hausse les épaules et me pousse dans l'ascenseur.

— Je n'en sais rien mais ils sont nerveux. Surtout, Vocker.

La cabine se déclenche brutalement et on descend vers le rez-de-chaussée.

— Tu étais au bureau ?

— En train de terminer des PV. Fayolle a débarqué avec Vocker. Fayolle avait l'air de ne rien comprendre mais l'autre ressemblait à un type qui vient de se faire piquer sa voiture.

— Avec sa femme dedans.

Il grimace.

— Exactement. Ils m'ont demandé où tu étais censé traîner et mon geste en direction du ciel ne leur a pas plu. Vocker a hurlé à Fayolle de lui trouver ton adresse. Il lui a dit aussi qu'il en avait marre d'être pris pour un con et qu'il fallait vivre dans un trou comme Seilans pour être autant emmerdé par un inspecteur boiteux. Je cite.

— Aimable.

La machinerie se stoppe avec un grincement et je débloque la porte. Je ne fais que deux pas dans le hall.

— Les poubelles, Granier !

On fonce vers le local. Je l'ouvre à la volée et je me serre contre un container. Granier m'imite, narines froncées.

Il rabat la porte en chuchotant :

— Il nettoie jamais, ou quoi ?

— C'est le vieux Perrot qui s'en occupe... Chut ! les voilà.

Dans l'entrebâillement du vantail, je peux voir Fayolle traverser en courant le petit hall. Deux sous-fifres le suivent, le genre blouson et baskets.

— Lustin et Benot, souffle Granier ; des RG... qu'est-ce qu'ils foutent là ?

— Je n'en sais rien.

— Le dossier Cauchart ?

Je le rassure :

— Caché chez Youssef. Ils peuvent retourner l'appartement si cela les amuse.

— Ils ne vont pas se gêner...

— Un par l'escalier ! commande Fayolle en s'engouffrant dans l'ascenseur.

On l'entend encore dire « 4e » et la cabine se remet en marche. Entraîné, le sportif vire en tête au premier étage.

— On file, Granier.

Porte fermée, volets clos, l'hôtel paraît attendre la pelleteuse. Il n'est pas le seul. Dans la rue des Fabriques, les trois quarts des immeubles sont candidats aux gravats. Un projet serait à l'étude, un supermarché avec salle de prière en cave et couscous à l'étage. Aux dernières nouvelles, tout le monde n'est pas pour.

— Tu parles d'un quartier.

Mon adjoint couvre d'un regard désabusé le spectacle de la rue. Quelques Maghrébins furtifs, des voitures ventouses, et, côté périphérique, de la jachère urbaine entre les piles du pont. À ce niveau, les pots d'échappements ventilent l'environnement.

Le temps que Youssef ouvre, je surprends un regard vite détourné. L'Arabe, un jeune en jean et veste de toile, fait un brusque demi-tour et s'engouffre dans une entrée.

— Ah ! Déveure...

Youssef a gardé sa djellaba et ses pansements. Il s'est seulement rajouté une ceinture qui, outre son ventre, maintient un couteau à fabriquer des eunuques.

Il accueille Granier avec moins de plaisir et referme la porte à double tour.

— Je me demandais ce que tu faisais. Tu m'avais dit pour le déjeuner.

— J'ai eu un empêchement. Comment vont-ils ?

Le Tunisien sourit.

— Bien, ils ont eu des beignets de graisse froide...

— Youssef...

Il hausse les épaules.

— Et pourquoi je perdrais mon temps avec eux ? Pour les remercier de ce qu'ils m'ont fait ?

Il ajoute, tapotant son couteau :

— De toute façon, ils ont tout mangé. Surtout, celui qui fait les impôts. Il en a repris une fois parce que la première, il avait vomi.

— Je monte.

— Tu connais le chemin... attends. Dis-moi, tu as des nouvelles pour moi ?

Je le fixe sans comprendre.

— Des nouvelles ?

— Pour mon affaire, explique-t-il en chuchotant ; la bombe... tu as trouvé les fils de chiens qui ont voulu me tuer ?

J'acquiesce.

— Seulement les fils, Youssef. Maintenant, il faut que je cherche les pères. Les clefs.

Je prends l'escalier, Granier derrière moi. Mon adjoint découvre le site et le moins qu'on puisse dire est que l'endroit lui plaît. Il renifle comme un caniche.

— La Sonacotra devrait reprendre. Tu venais en vacances ici ou tu as trouvé sur une carte ?

— Une carte ?

Il ricane, atteint à son tour le premier étage.

— Une carte vétérinaire : la migration des punaises, la densité des parasites. Ils font des choses très bien, dans le genre état-major...

— Très drôle. Je me demande si je ne te préfère pas dépressif...

Il opine de son crâne chauve.

— Taudis or not taudis, that is the béton.

Je choisis de ne pas insister et j'ouvre la chambre 11.

— Non ! s'affole une voix.

J'allume et j'étouffe un juron. Gabriel Giraud est assis sur la moquette, les mains enchaînées au radiateur. Il est nu et roule des yeux de veau flairant les abattoirs.

Granier émet un léger sifflement et je hurle vers l'escalier :

— Youssef !

L'inspecteur des Impôts croit que c'est pour lui. Il se recroqueville un peu plus et pousse de petits gémissements. Maigres et poilues, ses jambes font ce qu'elles peuvent pour sauver sa pudeur.

— Calme-toi. On va te détacher.

— Il voulait me dépecer vivant, chevrote le fiscaliste ; il a dit qu'il voulait me dépecer vivant.

— Il plaisantait.

Le plaisantin entre au même moment. Giraud pousse un nouveau cri et je me retourne, pas vraiment content.

— Tu joues à quoi, Youssef ? Au geôlier iranien ?

Ma voix est dangereuse. Le Tunisien lève les mains, esquisse sous ses pansements un sourire faux jeton.

— Non, pourquoi ?

— Ses vêtements ?

Il hoche la tête :

— Il s'était sali... alors, j'ai préféré lui enlever...

— Granier, occupe-toi de Giraud.

Je repousse Youssef et je boite vers la chambre voisine. La porte une fois ouverte, la lumière me révèle le même genre de spectacle.

— Putain, Boiteux, tu me le paieras cher, siffle Bornalin.

Le policier reprend, en gras, la pose de Gabriel. Il est assis, les épaules appuyées au mur, son ventre blanc comme posé sur ses cuisses, les jambes écartées et tendues. Son regard me fixe avec une rage contenue.

— Lui aussi a été malade, Youssef ?

Le Tunisien s'indigne :

— Non, pas lui, mais lui, c'est le plus dangereux. Sans vêtement, c'est mieux. On ne peut rien cacher. Tu le sais bien, non ?

— Ses affaires, Youssef. Ses affaires avant que je m'énerve.

Cinq minutes plus tard, Bornalin est assis dans le hall de l'hôtel. Il a toujours les mains attachées mais a récupéré sa chemise et son pantalon. Ses vêtements lui redonnent un peu de prestance, mettent désormais en évidence son début de barbe et ses cheveux décoiffés.

Je m'appuie à la cloison, soulageant ma cheville fatiguée.

— Alors ?

Il secoue la tête.

— Et pourquoi je ferais ça, Boiteux, pour tes yeux bleus ?

J'ai un geste vers Youssef. Ce dernier se tient derrière son comptoir et seuls ses pansements émergent de la réception.

— Pour ta peau grasse, Bornalin. Si tu refuses, je t'abandonne définitivement à Youssef. Tu ne lui es pas très sympathique et je te jure qu'il saura te faire regretter les prisons françaises. Choisis.

— Tu bluffes.

— Comme tu veux. Youssef !

Le Tunisien lève la tête mais je n'ai pas le temps de lui donner d'explications.

— Entendu, soupire Bornalin ; que veux-tu que je fasse ?

— Tu vas prendre contact avec Javion et négocier avec lui l'échange des documents.

— ... Et s'il refuse ?

— Tu lui dis que, dans ce cas, un exemplaire de ces papiers sera ce soir chez le juge et un autre, à la rédaction du *Seilans-République*. À tout hasard, un troisième partira sur Paris.

Il hoche la tête.

— Combien je lui demande ?

J'ai un geste indifférent.

— Juge par toi-même.

Il réfléchit.

— Je démarre à deux millions de francs et j'en accepte un. Tu en es ?

Mon coup d'œil le calme.

— Tu te contentes de prendre rendez-vous pour ce soir. En ce qui me concerne, mon loyer est payé et je n'ai pas de besoins.

— C'est le problème avec les infirmes.

— Exact. Maintenant, pour la remise des documents ?

Il se renverse sur la banquette avec un sourire malin. Ce que je sais de lui ne m'incite pas à la patience, mais je prends sur moi pour supporter son numéro. Bornalin est un meurtrier, un type dangereux que je préfère voir pavaner que ruminer en silence. Au moins, je sais dans quelle direction son esprit détraqué est en train de chercher. Et en l'occurrence, je vais dans le sens de ses aptitudes.

— Pas facile, hein, Boiteux ? C'est bien le problème : tout le monde peut demander une rançon mais pour la récupérer, c'est autre chose.

Je soupire :

— Tu dois bien avoir une idée. Après tout, tu connais Javion.

Il garde un moment le silence, puis son visage lourd s'éclaire d'un sourire malsain.

— Je crois que j'ai trouvé. Javion a une fille, quinze ans, bien roulée. C'est elle qui m'apportera l'argent. Lui est capable de faire une connerie mais si sa fille est dans le coup, il ne bougera pas le petit doigt.

J'ai une moue dégoûtée.

— Je crois que tu es vraiment tordu. Je veux que cela soit lui qui vienne, Bornalin. Lui et pas un autre.

Il émet un grognement.

— Le flagrant délit pour remonter ensuite... Je te connais, Boiteux... Tu veux un conseil ? Laisse tomber. Contente-toi de moi et tâche de boucler un dossier qui se tienne. Tu as encore une cheville et quelques bonnes années à jouer à la marelle. Profite.

— C'est maintenant que je profite... Youssef !

Le Tunisien se lève d'un bond et contourne son comptoir.

— Apporte un téléphone, Youssef. Ensuite, tu montes au premier.

— Au premier ? Mais pourquoi au premier ?

Je précise sèchement :

— Pour fouiller. Les bombes ne se posent pas toujours au rez-de-chaussée.

Le Tunisien finit par comprendre. En bougonnant, il pose l'appareil sur la table et se dirige vers l'escalier. J'attends qu'il soit arrivé au palier pour reprendre.

— Maintenant, Bornalin, voilà ce que tu vas dire à Javion.

Les gravillons crissent légèrement sous mes pieds. Le vent s'est levé et les rosiers du jardin s'agitent dans les bourrasques. Les buis, eux, profitent du perron et leurs feuilles ovales ne frémissent qu'à peine. Dans le ciel, les nuages sont plus nombreux et filent vers l'Est, masquant par moments le soleil. À croire que le temps veut changer et redonner à Seilans un petit goût d'hiver.

Je n'ai pas à frapper. La porte s'ouvre sur la grand-mère de Sandrine. Elle serre son foulard sur son décolleté et fixe avec déplaisir ce que je tiens en main.

— Sandrine dort, inspecteur. C'est pour l'enterrement de mon gendre ?

— Pour le moral de votre petite fille. J'aimerais que vous les lui donniez. Elle ne va pas très fort, vous savez...

Elle me jauge comme un fiancé en visite. De la tête aux pieds, du nœud de cravate au pli du pantalon.

— Non, je ne sais pas. Je vous l'ai déjà dit, Sandrine ne me parle plus.

Je me fais diplomate, la voix douce, la mine sérieuse.

— Elle est un peu perdue. Elle ne vous le dira peut-être pas mais je crois qu'elle a besoin de vous.

La grand-mère ouvre des yeux ronds.

— De moi ? Une hystérique ? Vous plaisantez ? Je suis bien la dernière personne à qui elle viendrait se confier.

Je lui souris gentiment.

— C'est exactement cela. Son père est mort et sa mère est malade. Vous êtes bien la dernière personne qui lui reste.

Elle étouffe un haut-le-cœur mais je l'empêche de répliquer.

— La réciproque est également vraie. Vous devriez faire un effort, madame... croyez-moi, ne la laissez pas seule. Sandrine n'est pas responsable de l'attitude de son père. Et les jours qui viennent ne vont pas être faciles à vivre. Ni pour elle, ni pour vous.

Elle se tait, semble réfléchir. Je ne la brusque pas, laissant à ce que je viens de dire le temps de se mettre en place.

— Donnez-moi ces fleurs, inspecteur. Après tout, il est possible qu'elles lui fassent plaisir. On ne sait jamais avec elle...

Benoît se cramponne à moi. Il se tient au bord du ponton et pleure en silence. La Bièvre coule à nos pieds, lente et boueuse, rendue plus verte le long des rives par le reflet des arbres. En amont, un saule trempe ses branches basses, le tronc tordu vers l'eau, les feuilles en algues marines. Je me détourne et je cherche ailleurs un peu de réconfort. Des corbeaux lourds et noirs me renvoient à la Bièvre. Et cette rivière me soulève le cœur.

— On remonte, Benoît.

— Non, pas encore...

Ses lunettes laissent filer ses larmes. J'aurais dû me méfier. Il faudra longtemps avant que ses promenades ne soient plus des pèlerinages, longtemps avant qu'il cesse de voir dans une rivière autre chose que le corps de sa mère. Le gosse n'a pas fini de vivre cette histoire. Apparemment, moi non plus.

— Tu voulais une glace, tout à l'heure. Viens.

— J'en veux plus.

Il continue de pleurer en me pétrissant les doigts. Pas des sanglots, pas des hoquets, non, juste le débit irrépressible et régulier d'un incroyable trop-plein.

— Je voudrais quelque chose...

Benoît s'est dégagé et fouille maintenant la poche de son survêtement rouge.

— Je voudrais... enfin, j'ai écris quelque chose... pour ma... pour elle...

Je me tourne vers lui, attentif.

— Une lettre ?

Il a un pauvre sourire, déplie tant bien que mal une feuille quadrillée.

— Je ne sais pas... enfin, oui, une lettre... je voudrais la lire...

— Tu veux être seul ?

Il secoue la tête.

— Tu peux rester... Mets-toi juste derrière... sinon, c'est trop difficile si je te vois aussi...

Le gosse se place tout au bord du ponton. Avec des gestes nerveux, il s'essuie les joues, remonte ses lunettes. Puis, penché vers la Bièvre, commence d'une petite voix.

— Maman... je... je voulais te dire que je m'excuse pour Mortrek et la télé... je...

Il s'interrompt et se tourne vers moi. Je l'encourage d'un signe.

— ... Je n'aurais pas dû te dire ce que j'ai dis parce que je ne le pensais pas. Jamais. Je ne peux pas dire comme je t'aime avec des mots parce que c'est difficile, mais c'est sûr, je t'aime plus que Mortrek et la télé. Tu me manques, maman. Je ne sais pas non plus dire comment tu me manques. Je sais juste que je te cherche partout et que je crois toujours que tu vas revenir, que tu es à ton travail, que tu vas ouvrir une porte et rentrer. Et puis aussi me prendre dans tes bras... et aussi m'embrasser...

Il baisse la tête et laisse un moment retomber son bras. Je pense qu'il va s'arrêter là mais je me trompe. Ses dix ans valent les vingt de certains.

— Je sais que... que c'est plus possible. Mais c'est pas grave... tu es quand même avec moi... tout le temps. Je crois aussi que tu peux m'excuser pour ce que je t'ai dit parce que toi aussi, des fois, tu as dit des choses comme ça, même pire, en voiture ou même à la concierge, je me souviens. Je crois que tu peux m'excuser... oui, surtout si je te demande pardon... ici... Maman, à la fin, je voulais aussi te dire que j'ai fait ce que tu m'as dit. C'est vrai. Je te le promets. J'étais pas obligé puisque tu n'étais plus là mais je l'ai fait. Je vais te montrer.

Il me tend brusquement sa feuille retournée. Je lis sans comprendre une histoire de yaourts.

— Le problème qu'elle voulait, explique le gamin; c'est pour ça qu'elle m'a disputé. Tu peux vérifier ?

— Maintenant ?

Il hoche la tête.

— Après ça sera trop tard.

Je soupire et je me concentre sur l'énoncé : « Pierre achète 12 yaourts chez l'épicier. 4 sont des yaourts nature à 8,40 F les 6 et les autres sont des yaourts à la vanille à 3,40 F les 2. Pierre a une pièce de 20 F. Aura-t-il assez d'argent pour acheter ses yaourts, une moitié de baguette à 3,40 et 1 Malabar à 25 centimes ? » Je relis, comprenant enfin son aversion pour les yaourts.

— Alors ? s'impatiente Benoît, c'est juste ?

— Je crois...

Je vérifie rapidement ses opérations. Le résultat ne m'étonne pas : un type capable de trouver un énoncé pareil ne compte jamais le Malabar.

Je lui tends son devoir.

— Mets la note.

Je sors mon stylo.

— 10/10. Je ne corrige pas l'orthographe ?

— Non, ça, c'est pas la peine.

Le garçonnet reprend sa feuille et se replace au bord du ponton. Il garde le silence quelques instants, tête basse, paupières closes. Puis il murmure :

— Je te demande pardon... maman chérie...

La lettre tombe en feuille morte et touche l'eau au-bas du ponton. Elle s'éloigne ensuite lentement, papier blanc tournant sur lui-même et s'enfonçant peu à peu dans l'eau jaune de la Bièvre.

— Viens, Benoît.

JE MARCHE VITE, rejoignant à pied la rue des Fabriques. Ma montre indique 22 heures et le rendez-vous avec Javion a été fixé à 23 heures. Juste le temps.

Une camionnette me dépasse et la lumière des phares complète un instant celle des lampadaires. Un chat se glisse entre deux voitures, des chromes étincèlent, et, sous le périphérique, un catadioptre réfléchit un éclat bref et rouge : une mobylette sans roue.

Je force sur ma cheville, dépassant une boutique murée. Un panneau renversé m'évite un trou et, cinq mètres plus loin, une poubelle m'oblige à descendre sur la chaussée. Des phares me prennent alors dans leur faisceau.

La voiture va vite, le pot d'échappement en mauvais état, le moteur pétaradant sur la chaussée disjointe. D'un geste machinal, je tourne la tête.

Il y a un coup de frein, un léger dérapage et la Peugeot stoppe à ma hauteur.

Mon adjoint descend la fenêtre du passager ;

— Tu montes ?

— Il reste cinquante mètres avant l'hôtel, Granier. Je vais tenter à pied.

Je lui fais signe de repartir.

— Comme tu...

Il n'a pas le temps de terminer. Une explosion assourdissante ébranle le quartier.

Des dizaines de vitres volent en éclats. Elles tombent dans la rue, criblent les voitures, le trottoir, partent en éclats scintillants jusqu'aux piles du périphérique. J'ai de la chance. L'immeuble qui me surplombe a un porche en avancée et je me plaque au mur.

Une planche atterrit à mes pieds et le silence revient brusquement.

— Ça va, Granier ?

Mon adjoint est sorti de la voiture, la mine ahurie. La carrosserie de la Peugeot paraît avoir subi un orage de grêle.

— Tu n'as rien ?

— Rien. Ça vient d'où ?

Curieusement, je ne situe pas l'endroit de la déflagration. Au milieu de la rue, la façade de l'hôtel est intacte, à part ses fenêtres et sa porte d'entrée qui ont été soufflées. À première vue, il ne paraît ni mieux, ni pire que les autres immeubles. À première vue...

— L'hôtel !

Les flammes viennent d'apparaître sur l'arrière du bâtiment. En un instant, elles montent vers le ciel avec un grondement de torchère et éclairent la rue comme un feu de Saint-Jean.

— Fonce, Granier !

Je jure et je boite vers le brasier. Des gens commencent à sortir des immeubles, à crier, des silhouettes gesticulantes et affolées qui courent dans tous les sens. Une femme se met à hurler. Une vieille sort d'une entrée en gémissant, la robe de chambre ouverte, un foulard sur la tête. Elle tient un cabas à bout de bras. Derrière elle, un homme se précipite, une fillette accrochée au cou : il est en jogging et maillot de corps. Une femme suit avec un sac à main, ses cheveux blonds en auréole, sa lourde poitrine moulée dans un tee-shirt.

Devant moi, mon adjoint termine son sprint. Il pénètre le premier dans le petit hall et disparaît à l'intérieur de l'hôtel. En même temps, une explosion plus sourde envoie dans la nuit un nuage d'escarbilles.

— Granier !

— Attention ! Ne rentrez pas, tout va s'écrouler !

Je repousse l'inconnu. Dans le hall, la fumée masque le comptoir, tourbillonne et monte en colonne par l'escalier. La chaleur semble s'élever de seconde en seconde et des crépitements, de brusques éboulis sortent de ce brouillard. Je place un mouchoir sur ma bouche et je prends les premières marches.

— Attrape-le !

Granier redescend avec un corps inanimé. Autant que je puisse le voir, l'homme est un petit Arabe avec les cheveux roussis, des brûlures au visage et aux bras.

Je hurle :

— Les autres !

Je redescends vers le hall, luttant contre la fumée. Moitié en le portant, moitié en le traînant, je réussis à sortir l'inconnu sur le trottoir. Là, je le confie à un badaud, un type en pyjama qui regarde l'hôtel brûler en se demandant s'il rêve. D'autres, plus efficaces ou plus concernés, commencent à déplacer les voitures.

— Rebbi, Rebbi, geint le brûlé.

— Ça ira, ça ira, il va venir...

Je replonge dans la fumée. Quelque chose s'écroule dans les hauteurs, de la charpente ou un plafond, et une gerbe de flammes arrive par l'arrière du comptoir. Une troisième explosion souffle une porte et je perds l'équilibre dans les gravats. Quand je me relève, Granier est près de moi, le crâne noir de suie.

Il hurle :

— Il faut sortir de là, tout va s'écrouler !

— Les autres !

— Viens !

Je me dégage brutalement et je reprends l'escalier.

Sur le palier, je marque un temps, au bord de l'asphyxie. Il n'y a rien à faire. Le fond du couloir est inaccessible, envahi par les flammes et la fumée. Plus près, je distingue à peine les portes des chambres. Ce que je vois mieux, par contre, ce sont les flammes qui montent du plancher et les fumerolles qui passent les panneaux.

Je prends ma respiration et je plonge dans la fournaise. La porte de Bornalin est ouverte, la pièce vide. Je passe à la suivante. Cette fois, la porte est verrouillée. Mon coup d'épaule vaut pour les blindages et la menuiserie ne résiste pas. Le panneau se détache avec un craquement, tombe à l'intérieur de la pièce comme un arbre tronçonné. Ce brusque courant d'air ventile le brasier. Sur ma droite, les flammes montent d'un mètre et dans la chambre, une trouée de fumée me révèle le spectacle. Pour public averti.

Giraud a été coupé en deux par l'explosion. En fait, en beaucoup plus. Autant que je puisse le voir, ses jambes et une partie de son bassin sont éparpillées dans la chambre. Près du lit, un trou circulaire d'environ un mètre perfore le plancher. Le reste de Giraud se trouve à cet endroit. Le bras droit tenu par des ligaments, le bras gauche disparu, le tronc et la tête couchés vers le cratère en vulcanologue surpris. Ainsi, le maigre Gabriel achève de fondre à la brûlure des flammes.

Je garde ma compassion pour moi et je fais demi-tour. Youssef !

La marche cède sans prévenir. Je n'ai pas le temps d'avoir peur et je dévale l'escalier en feu. À la réception, j'ai surtout peur pour ma cheville. C'est ma tête qui porte et le choc me sonne quelques secondes.

— Allez, debout !

— Youssef ?

— Debout !

Granier m'entraîne vers la sortie. Je force sur ma cheville et je m'écroule au milieu du trottoir, les poumons déchirés par la toux, les yeux en pleurs. Autour de moi, la rue s'est mise à tourner.

Quand je peux me relever, des conversations bourdonnantes se mêlent au bruit des sirènes.

— Les pompiers, précisent un mélomane.

Je me tourne vers l'hôtel. Des colonnes de fumée s'échappent des fenêtres et montent au-dessus des toits dans un ciel de suie. Sur l'arrière, le feu gronde en brusques emballements et les flammes colorent le quartier d'une lumière rouge et changeante.

— Rien à faire, murmure mon adjoint ; ils sont là-dedans.

Une silhouette troue brusquement la fumée. Elle traverse péniblement la réception et reprend son souffle sur le pas-de-porte.

— Zardine de bouc ! éructe une voix ; peau de porc...

Youssef titube hors de son hôtel. Ses pansements fument sur sa tête et des flammèches mangent le bas de sa djellaba. Il tient un sac à la main et traîne dans une couverture roussie le reste de ses affaires.

Je me précipite :

— Tu es blessé, Youssef ?

— Les chiens jaunes ! Je vais les écorcher ! Porc et fils de...

L'injure se termine dans une quinte.

— J'ai cru que tu étais comme Giraud...

Le Tunisien veut me questionner mais la toux le secoue. Il reprend difficilement son souffle et se redresse, les yeux en pleurs.

— Quoi, Giraud ?

Je lui résume la situation et il a un geste fataliste :

— Éclaté comme une figue, grillé comme une merguez, c'est normal. Sa chambre était au-dessus de la réserve et la bombe était dans la réserve. Il n'y a plus qu'à l'oublier. Et l'autre ?

— Pas vu. La chambre était vide. Par contre, on a sorti un petit Arabe. Qui est-ce, Youssef ?

Il se remet à tousser, s'essuie dans ses restes de djellaba.

— Amhed, un cousin. Il avait des affaires à récupérer. Il est vivant ! Il a eu de la chance. Moi aussi, j'ai eu de la chance. Je rangeais des bricoles à la cave quand ça a éclaté...

Un pompier intervient, la mine préoccupée. Il prend connaissance de nos identités et nous montre une ambulance au gyrophare tournoyant.

— Rejoignez ce véhicule. Un médecin vous attend.

— Mais je vais bien ! résiste Youssef.

— Il faut reculer et vous soigner, monsieur. Reculez aussi. Tout le monde !

Le soldat du feu n'est pas du genre à céder. Il saisit Youssef par les épaules et le dirige de force vers l'ambulance. Le Tunisien hurle, son sac à la main :

— Je vais bien ! Je dois surveiller mon hôtel ! Mon hôtel !

Quatre camions barrent désormais la rue et deux autres, des moto-pompes, prennent position le long du périphérique.

— En arrière ! Tout le monde !

Ça râle dans l'attroupement. Une explosion sourde calme les mécontents et excite les pompiers. Leurs talkies-walkies crachotent des instructions et un gradé s'énerve brusquement. Résultat, les sapeurs se mettent à dégager les badauds avec une vigueur de CRS en retour de vacances.

— Mes affaires ! Déveure, prend mes affaires ! crie encore Youssef.

J'attrape la couverture et je fais signe à mon adjoint.

— Un léger toilettage, Granier, et on file. On va quand même essayer de coincer Javion.

— Le dossier ?

Je lui montre l'incendie d'un geste las.

— Il sert de combustible. Je l'avais caché dans un placard de service, au deuxième étage.

Écartant les derniers arrivants, on remonte la rue en direction de l'ambulance.

Un grand bruit nous fait nous retourner : le deuxième étage de l'hôtel vient de passer au premier. Des pompiers se précipitent, manœuvrent en catastrophe un camion qui dégoûte son eau au milieu de la chaussée. Plus loin, une pompe se met en route et un jet d'eau sous pression commence à arroser la façade.

— Cela ne changera rien au Michelin, constate Granier.

— Au Michelin, peut-être pas, mais au quartier, certainement.

Dans l'hôtel, les flammes, un instant étouffées, repartent de plus belle. Le feu se propage au troisième, à la toiture qui commence à fumer, au balcon d'un immeuble voisin. D'autres lances se mettent en batterie, jettent sur l'incendie des tonnes d'eau et de mousse. En face, le périphérique n'est pas en reste : j'entends un coup de frein, une explosion de tôle, d'autres coups de frein... les distractions sont rares à Seilans.

— Déveure ! hurle soudain Youssef; Ahmed a vu sortir celui qui manque !

Je me précipite vers l'ambulance.

La gare est à l'image de la ville. En partie rénovée, en partie reconstruite, en partie conservée, l'ensemble donne effectivement envie de prendre le train, mais pour quitter Seilans.

La voie des taxis est balisée de bornes en métal chromé. Au centre de l'esplanade, en granit breton, trois boules et trois cubes encadrent un bassin rachitique en forme de coquille d'huître. Quatre séries de bancs ferment l'enclos et donnent aux marginaux une bonne raison pour se taper dessus. Côté gare, vestiges du passé, les pilastres en fonte encadrent le verre fumée des portes automatiques.

— On fonce, Granier !

Au-dessus d'un fronton noirci par les saletés, l'horloge marque 23 heures. Deux statues aux bras levés tiennent le cadran et fixent le parvis, les pieds sur un panneau électronique. « En raison de la grève d'une partie du personnel, le trafic risque d'être perturbé mardi 28 avril de 6 heures à 23 heures. »

À l'intérieur, l'établissement n'attire pas les foules. Trois voyageurs s'intéressent aux horaires et quelques isolés vont et viennent sous les verrières. Plus loin, un couple patiente sur un quai, regards au Nord, poitrines à l'Est, dos à un autorail qui repose son Diesel en attendant le signal. Plus loin encore, un train de marchandise passe lentement sur un rythme à deux temps coupé de grincements.

Contre le rideau fermé du kiosque à journaux, deux SDF s'échangent une bouteille. Ils coulent des regards obliques dans notre direction puis reviennent à leur premier souci : convertir des degrés en grammes.

Les téléphones, un distributeur à billets, un panneau « Accueil Secours catholique ». Les consignes sont fléchées avec les toilettes et on s'engouffre dans un couloir éclairé aux néons.

— Attention ! me souffle Granier.

Mon adjoint s'est plaqué à un poteau. Je me recroqueville dans un coin, une pensée pour mon arme restée à la PJ.

— Le voilà.

Bornalin sort de la salle des consignes. Il a les yeux exorbités, le visage noirci de fumée. Une mallette à la main, il ressemble à un fou échappé de son asile en flammes.

— À moi ! crie une voix dans la salle ; à l'aide !

Granier n'a pas le temps d'intervenir. Au fond du couloir, une ombre se détache et un coup de feu tonne. Bornalin pousse un cri étranglé. Une deuxième balle le frappe entre les omoplates et il lâche son cartable.

Granier hurle, l'arme levée :

— À terre, Bornalin ! Ne reste pas dans l'axe !

La porte des toilettes vient de s'ouvrir. Une autre silhouette se devine et fait feu à son tour. Cette fois, le gros inspecteur reçoit la décharge de plein fouet. Il tressaute comme un papillon refusant l'épingle et part en vrille dans le couloir.

— Couche-toi ! hurle encore Granier.

Bornalin n'entend plus. Il vacille et esquisse un demi-tour d'ivrogne. Son regard stupéfait fixe déjà le vide.

Granier baisse son arme ;

— Impossible...

Une glissade, une dernière embardée, et Bornalin s'écroule sur le carrelage.

Je me relève en vitesse.

— Prends-les en chasse, Granier !

Mon adjoint pique un sprint vers les toilettes. Il saute au passage le corps inerte et évite la mallette d'une enjambée. De mon côté, je fonce vers la sortie en brutalisant ma cheville. Au moins, voir la voiture !

Ma course claudicante s'arrête à la hauteur des téléphones.

— On peut savoir ce que vous faites ici, inspecteur Déveure ?

La voix de Vocker vibre dangereusement. Il tient un talkie-walkie et laisse bâiller sur son embonpoint une veste pour chasser le lapin. Deux policiers l'encadrent, l'air nerveux.

Javion sort à cet instant des consignes. L'adjoint au maire a toujours ses cheveux frisés, ses montures métalliques et son air de représentant en farine bovine. Il marche vers nous d'un pas tranquille, gratifiant le cadavre d'un coup d'œil impassible.

Je comprends enfin la situation et j'improvise :

— Un appel anonyme, monsieur le substitut. Et vous-même ?

Le regard gris de Vocker se glace un peu plus. D'un geste, il fait signe aux policiers de prendre un peu de champ.

Le juge prend ensuite une profonde inspiration.

— M. Javion nous a prévenus... Il est victime d'une tentative de chantage de la part d'inconnus et nous avons choisi d'intervenir. L'inspecteur Bornalin était le premier sur les lieux, malheureusement...

Il a un geste théâtral vers le mort :

— ... malheureusement, il a été lâchement abattu...

J'applaudis mentalement. Vocker est décidément un animal à sang froid, rapide, terriblement rapide. De mon côté, je ne trouve pas de parade, seulement une réflexion :

— C'est bien la première fois que Bornalin joue au héros.

Le juge m'accorde un sourire ;

— Comme quoi vous le connaissiez mal...

— Je crois le contraire.

Le magistrat hausse les épaules.

— Croyez ce que vous voulez, inspecteur, mais laissez-nous travailler. Nous allons emmener M. Javion pour l'interroger. Peut être aura-t-il aperçu un des assassins... Excusez-moi.

Il fait un signe à Javion et s'éloigne vers les consignes. Granier revient au même moment, la tête basse.

— Rien, aucune trace.

Je ne fais pas de commentaire. La mine décidée, je rejoins le magistrat et sa petite troupe.

— Si vous le permettez, monsieur le substitut, nous allons vous accompagner. J'aurai également quelques questions à poser à M. Janvion.

Vocker secoue la tête :

— Je suis désolé mais il n'en est pas question. Je tiendrai l'inspecteur Fayolle au courant de cette audition et je verrai avec lui et le commissaire Chassagne la suite à donner à cette affaire. Je vous convoquerai ultérieurement avec votre adjoint pour votre déposition.

Javion n'a pas bougé. Cravaté, assez élégant, il balance négligemment à bout de bras la mallette. Dans son dos, les RG s'agitent autour du cadavre et sous le hall principal, les haut-parleurs font une annonce inaudible.

Je m'offre un dernier plaisir :

— J'espère que cet interrogatoire vous permettra d'avancer, monsieur le substitut. M. Javion connaissait très bien l'inspecteur Bornalin, et comme cet inspecteur connaissait lui-même Cauchart, la piste peut être intéressante et remonter très haut.

Vocker me toise comme une épave.

— Je n'ai que faire de vos souhaits, inspecteur. Bornalin a payé de sa vie son dévouement. Il est mort abattu par des inconnus et nous ferons tout pour découvrir ses assassins. De votre côté, je crois que vous avez des vacances à prendre. Prenez-les et n'hésitez pas à les prolonger. Nous en avons tous besoin.

Les haut-parleurs répètent leur message et je ne comprends qu'un mot : terminus.

## Dans la collection
## « Crime »

**BASSET-CHERCOT Pascal**
*Baby-Blues,* 1988
*Le Zoo du pendu,* 1990
*Le Baptême du Boiteux,* 1994
*La Passion du Sâr,* 1995
*Le Bûcher du Boiteux,* 1996

**CORNWELL Patricia**
*Morts en eaux troubles,* 1997
*Mordoc,* 1998

**DEMOUZON Alain**
*Melchior,* 1995

**DIBDIN Michael**
*Vendetta,* 1991
*Cabale,* 1994
*Piège à rats,* 1995
*Derniers Feux,* 1995
*Lagune morte,* 1996
*Cosi fan tutti,* 1998

**DUNANT Sarah**
*Tempêtes de neige en été,* 1990
*La Noyade de polichinelle,* 1992
*Poison mortel,* 1994
*Beauté fatale,* 1996

**FULLERTON John**
*La Cage aux singes,* 1996

**LEON Donna**
*Mort à la Fenice,* 1997
*Mort en terre étrangère,* 1997
*Un vénitien anonyme,* 1998

**RENDELL Ruth**
*Le Goût du risque,* 1994
*Simisola,* 1995

*Photocomposition CMB Graphic*
*(Saint-Herblain)*

*Achevé d'imprimer en avril 1998*
*sur les presses de Brodard et Taupin*
*à La Flèche*
*pour le compte des Éditions Calmann-Lévy*
*3, rue Auber, Paris 9e*

*Imprimé en France*
Dépôt légal : mai 1998
N° d'édition : 12591/01 – N° d'impression : 1275U-5